LA MAGIA DE LA SONRISA

DUTCH BOLING

LA MAGIA DE LA SONRISA

SELECTOR
actualidad editorial

LA MAGIA DE LA SONRISA
The Hero's Way: Attitudes Make the Difference

Traducción: Manuel Brito

Copyright © Humanics New Age 1990
D.R. © 1989, Selector, S.A. de C.V.
Mier y Pesado 128, Col. Del Valle, 03100 México, D.F.
Edición en inglés: Humanics
Humanics New Age es una imprenta de Humanics Limited,
   Atlanta, Georgia

Edición al cuidado de José Francisco Hernández
Portada: Laura Trejo y Mario Ramírez
Formación: Compuvisión, S.A.

ISBN-10:968-403-340-0
ISBN-13:978-968-403-304-5

Trigésima Primera reimpresión. Septiembre de 2009.

Contenido

LAS ACTITUDES MARCAN LA DIFERENCIA

H ace algunos años sufrí un ataque cardíaco. Luego me enteré de que tenía un tumor en el cerebro. Aunque aparentemente era benigno, se requería de una intervención quirúrgica para removerlo, y en los días anteriores a mi operación, me la pasé pensando. Nótese que no dije "preocupándome". Sabía que todo iba a resultar bien. Todo estaba a mi favor y, en mi opinión, nada en mi contra. El doctor, el hospital y el equipo humano se contaban entre los mejores. Sentí que había una razón específica de lo que estaba sucediendo. Me pareció que era la forma en que Dios me conminaba a pensar en el propósito de mi vida y a elaborar planes definitivos para llevarlo a cabo.

La cirugía fue exitosa, y aquellas "vacaciones no programadas" me dieron tiempo e inspiración para identificar mi propósito en la vida. Mi propósito, según entiendo, es compartir con los demás el hecho de que "¡las actitudes marcan la diferencia!" Estoy plenamente convencido de que he sido capaz de probar, con la ayuda de Dios, de que nuestras actitudes marcan la diferencia en la forma en que manejamos todo tipo de situaciones.

No he sentido dolores ni molestias de ningún tipo desde la operación. También tengo más energía y me siento mejor de lo que me había sentido desde hace varios años. De hecho, cuando aún estaba en la habitación de convalescencia, me sentaba en una silla y me comía un gran desayuno con huevos, sémola y salchicha. Ciertamente, me llevó algo de tiempo recuperar las fuerzas, pero desde la operación no he tenido ni siquiera un dolor de cabeza.

¿Por qué tuve una recuperación tan fácil? ¡Estoy seguro que mi actitud marcó la diferencia! Decidí que cada uno de mis días iba a ser un buen día, y que habría yo de cumplir cabalmente el propósito asignado a mi vida.

Siempre hago énfasis en el hecho de que todos estamos en el "negocio de la gente" y que necesitamos amigos. ¡Necesitamos gente! Antes hablaba yo del valor de los amigos, pero jamás había experimentado el verdadero valor de los amigos, sino hasta que me tomé aquellas "vacaciones no programadas". Recibí cantidades de tarjetas deseándome pronta recuperación, flores, regalos y llamadas telefónicas. Gente de todo el país me llamó para decirme que me habían incluido en sus plegarias. Es un sentimiento maravilloso saber que tienes tantos amigos maravillosos y sinceros, quienes siempre están listos para brindarte su ayuda y para ofrecerte aliento.

Amigos
¡LAS ACTITUDES MARCAN LA DIFERENCIA!

DESE COMO REGALO AL MUNDO

E l título de este libro fácilmente podría haber sido: Cómo Hacer que una Multitud Acuda a su Funeral ¿Cuánta gente le gustaría que asistiera a su funeral? Empecé mi vida profesional trabajando en una funeraria. Naturalmente, cuando trabajaba en aquel giro, la gente siempre me preguntaba: "¿No te desagrada esa clase de trabajo?" Algunos aspectos del trabajo ciertamente me molestaban. Una de las cosas que me turbaba especialmente era cuando muy pocas personas, o nadie, acudían a un funeral. Ahí yacía gente que había vivido su vida entre la gente, y casi nadie había llegado a rendirle un homenaje póstumo. Este hecho me molestaba a tal punto que traté de averiguar por qué sucedía cosa semejante. ¿Por qué tan poca gente había asistido al funeral?

Regalo

Me enteré de que estas personas que habían fallecido, no fueron en vida gente afectuosa, alegre, entusiasta. Entonces decidí que deseaba que hubiera una gran multitud en mi funeral. Fue entonces cuando decidí que quería que todos me conocieran como una persona alegre, entusiasta y afectuosa.

Así que déjeme decirle qué es lo que estoy haciendo. ¡Estoy repartiendo invitaciones a mi entierro! Quizá no se dé cuenta, ¡pero usted también hace lo mismo todos los días de su vida! ¡Quiero que haya una gran multitud en mi funeral! No para lamentar mi deceso, sino para celebrar la existencia que viví. ¡Todos podemos lograr que una gran multitud acuda a nuestro funeral, y no hay secretos para lograr que esto también ocurra en el caso de usted!

A los héroes se les hacen grandes funerales, muchos lamentan su muerte y refieren sus hazañas. Cualquiera puede ser héroe. No tiene usted que ganar una batalla con una sola mano, ni descubrir el remedio contra una enfermedad para ser héroe. Los atributos sencillos, comunes y corrientes, presentes en todos nosotros — la capacidad de ser afectuoso, de sentir entusiasmo y de ayudar a los demás— son recursos clave en la senda del héroe. Las actitudes positivas que se derivan del hecho de fomentar estos atributos nos hacen brillar ante los ojos de los demás. Los héroes nos infunden inspiración, y nos muestran que las grandes cosas pueden lograrse mediante las capacidades con que cuenta el promedio de las personas. Las personas comunes y corrientes pueden vivir grandes vidas. Sólo se necesita ser una persona afectuosa, alegre y entusiasta para lograr, a su vez, el afecto, la admiración y el respeto por parte de los demás.

¿No es acaso la persona afectuosa, alegre y entusiasta, la clase de persona con quien a usted le gusta más estar? ¿Aquella con quien le gusta trabajar y hacer negocios? Y si esa es la clase de persona con la que a usted le gusta estar, ¿no es lógico afirmar que esta es la clase de persona con quien a los demás les gusta estar y hacer negocios?

De acuerdo con mis observaciones antes referidas, el número de gente que acepte nuestras invitaciones dependerá de la forma en que tratemos a los demás, y de la forma en que las demás personas nos perciban en nuestro paso por la vida. El reto que le planteo a usted es que empiece a ser una persona afectuosa, alegre y entusiasta, ¡y que se convierta en héroe! ¡Que una gran multitud se congregue en su funeral!

Me encantan las flores, pero no quiero que haya en mi funeral. ¡Las quiero ahora! Quiero poder ver su belleza y gozar su agradable fragancia mientras vivo. Nuestras flores no sólo las queremos ahora, sino que las necesitamos ahora. Las flores que todos necesitamos desesperadamente no necesariamente son plantas con inflorescencias. Dichas "flores" son observaciones amables y señales de aprecio. Despida usted el día de hoy una agradable fragancia unas cuantas veces, y haga lo mismo todos los días de su vida, porque cada palabra de honra y de aprecio que usted dirija a alguien, es una invitación que usted extiende para el día de su funeral.

Regalo

Desde que hice aquel descubrimiento sobre la asistencia a los funerales, hace muchos años, he estado indagando cómo puede uno convertirse en una persona afectuosa, alegre y entusiasta. Este libro se ha derivado de mis experiencias personales y de la observación de otras personas, quienes parecen ajustarse al modelo que trato de definir.

Mi objetivo primordial al exponer mis ideas es que usted, el lector, recabe algunas directrices que le ayudarán a convertirse en héroe para los demás, y a congregar una gran multitud el día funeral. He reunido una serie de "apoyos" que pueden conducirle a una mejor existencia y a ayudarle a cumplir sus objetivos. Estas historias son lecciones para crear una mejor existencia para nosotros mismos y para quienes nos rodean. Tome estos apoyos de todo corazón, y descubrirá que al incorporarlos a su propia vida, puede convertirse en héroe, puede transformarse en una persona afectuosa, alegre y entusiasta.

FELICIDAD

Qué es eso que llamamos "Felicidad"? Ciertamente no consiste en poseer grandes riquezas, puesto que he conocido algunas personas extraordinariamente ricas, cuyas vidas eran tan desgraciadas como las de otros, abatidos por la pobreza. También he conocido personas muy felices que no poseían gran cantidad de riquezas materiales, incluyendo algunas cuantas personas que raras veces sabían de dónde iba a llegarles la siguiente comida. En el otro extremo, he conocido gente muy feliz, que parecía tener más posesiones materiales de las que les correspondía.

La felicidad no está limitada por el nivel social o económico, ni por la raza o el nivel académico. No, la felicidad es resultado de una actitud positiva, de una actitud de héroe.

La felicidad procede de la actitud mental que hace

Felicidad

que la persona se sienta agradecida por lo que tiene, en lugar de regodearse en la infelicidad por lo que no tiene. La felicidad deriva de nuestro aprecio por la familia, los amigos, el trabajo, la religión y todos los demás valores positivos que tenemos, si nos diéramos tiempo para enumerar las bendiciones de que somos objeto. La felicidad en los héroes deriva de tener un propósito constructivo en la vida, lo cual incluye ayudar a los demás, de suerte que avancen hacia la consecución de sus propios objetivos.

APOYO # 1

La felicidad es el estado mental que puede lograrse cuando la actitud que se tiene es la de la persona afectuosa, alegre y entusiasta.

La persona afectuosa, alegre y entusiasta es aquella que ha desarrollado la actitud y el hábito de ayudar a los demás a conseguir lo que quieren y necesitan en la vida. A partir de mis observaciones he advertido que, cuando tenemos esta actitud, estamos en vías de lograr la propia felicidad.

La mayoría de nosotros decidimos temprano por la mañana la clase de día que queremos tener. Lo primero que hago por la mañana es repasar la lista de bendiciones de que soy objeto, y la lista es larga. Repaso mi propósito en la vida, que consiste en ayudar a hacer diferentes las vidas de aquellos con quienes entro en contacto. Me ayuda dirigirme a mí mismo una breve charla motivacional, con afirmaciones positivas como: "¡Caray! ¡va a ser otro gran día!"

Mis mejores días son aquellos en que hago una lista de "cosas qué hacer", y aunque no la haya terminado al final del día, avanzo en el cumplimiento de los asuntos enlistados. Claro que hay días mejores que otros, pero todos los días tienen algo de bueno que podemos encontrarles.

Puede ser bueno tener un baño fuera de casa

Crecí en un pequeño poblado cercano a las faldas de las montañas; es decir, vivía en el campo. Y en aquel entonces no teníamos tubería en la casa. Así que el baño estaba fuera.

Una noche invernal se me quedó grabada para siempre en la memoria porque hacía un frío atroz. Todavía me pongo a temblar cuando recuerdo la nieve cayendo furiosamente aquella noche, y el viento helado aullando. La mañana siguiente todavía hacía un frío tremendo. Cuando me desperté, sentí ganas de ir al baño. No me dilaté vistiéndome apropiadamente para salir a aquella gélida temperatura. Sólo cogí mi bata y me salí corriendo a toda velocidad por la puerta de atrás, rumbo al baño. El viento había sido tan fuerte la noche anterior que el asiento estaba cubierto de nieve que se había colado por las grietas de la pared. No me demoré. Regresé a la casa corriendo a toda velocidad, crucé el umbral de la puerta a toda prisa, y le dije a mi padre: "¿Papá, por qué tenemos que usar ese viejo baño de allá afuera?" Mi padre se me quedó viendo y me dijo: "Imagínate lo que sería si no tuviéramos un baño afuera. Allá hay un árbol, ves. Además, no se vale juzgar al día por el clima".

Le dije: "Papá, mejor explícame eso de nuevo. ¿Qué me quisiste decir?"

"Hijo", me dijo, "hay muchas cosas en la vida que no podemos controlar, y el clima es una de ellas. Lo que sí podemos controlar es nuestra actitud. Si permites que cosas como el clima controlen tu actitud, vas a vivir una vida infeliz, y también vas a hacer infelices a los que te rodean. Aprende a sentirte agradecido por lo que sí tienes, incluyendo 'ese viejo baño de allá afuera', y aprende a aceptar lo que no puedes cambiar". ¡Qué lección tan valiosa fue aquella!

Ni dudarlo, a veces las cosas se ponen difíciles, y cuando eso ocurre, me tomo un minuto para contar las bendiciones de que soy objeto. He aprendido que la mayoría de nosotros contamos con más cosas positivas a nuestro favor, que cosas negativas en contra. Cuando tengo que pararme en un crucero de tren, para esperar a que acabe de pasar un interminable y lento tren de carga, me doy cuenta de que nada puedo hacer para que el tren avance más rápidamente. De manera que me quedo sentado, esperando pacientemente que pase. Con mucha frecuencia, utilizo lo que muchos llamarían "tiempo muerto" para pensar y planear constructivamente.

Efectivamente, controlamos nuestras actitudes. Antes que nada, tómese unos minutos de cada día para enumerar las bendiciones de que es objeto, luego aprenda a aceptar y a vivir con las cosas que no puede cambiar. Estas dos sencillas actitudes, fáciles de lograr, son los primeros pasos hacia la felicidad.

Empiece el día con un ¡Guau!

¿Cómo comienza usted el día? Cada mañana, fíjese usted, todos decidimos cómo será el resto del día. Déjeme decirle cómo comienzo yo cada día. Cuando me despierto, salto de la cama y planto bien ambos pies sobre el suelo. Para mí, ese es por sí solo un gran logro. También debo admitir que algunas mañanas salto más rápidamente que otras. Rápidamente entro al baño y me observo en el espejo. Esta no es tarea fácil, sobre todo antes de haberme peinado ambas hebras de pelo.

Mientras me observo en el espejo me digo: "¡Guau, este es otro gran día!" Pienso en todas las bendiciones de que soy objeto, y veo que son muchas: el aire limpio, los buenos amigos, vivir en un gran país... podría continuar indefinidamente. Prosigo con mi monólogo de automotivación: "Este día van a ocurrirme cosas buenas. Voy a tener oportunidad de hacer contribuciones positivas a las personas con quienes tenga contacto. Voy a saludar a todo mundo con una sonrisa y un saludo de todo corazón."

¿Por qué practico esta rutina? Abe Lincoln dijo: "La mayoría de las personas son tan felices como mentalmente se disponen a serlo". Como yo creo que eso es verdad, temprano por la mañana decido que seré feliz y que tendré un buen día. Esa breve charla conmigo mismo es un excelente método de automotivación. Me hace estar listo para continuar motivándome y para motivar a las personas con quienes me pongo en contacto. Claro que hay días mejores que otros, pero todos son buenos.

Un día estaba platicándole a un conocido cómo empiezo mi día y me preguntó: "¿Nunca te levantas de malas?". Le contesté: "Dejo que eso se quede en el sueño".

"El sol siempre brilla sobre las nubes".

La mayoría de las veces, en efecto, tenemos el control sobre nuestra propia felicidad. Cada mañana decidimos qué clase de día tendremos. Dado que tenemos este poder, ¡hagamos uso de la automotivación positiva y decidamos cada día que tendremos un gran día!

¿Cómo puede usted empezar? Permítame sugerirle hacer una lista de todas las cosas buenas que tiene a su favor. Recuerde mi convicción de que tenemos de nuestro lado más cosas positivas que negativas.

Muchas personas han sufrido trágicos accidentes,

desastres financieros, y otras experiencias terribles, y se han recuperado, simplemente reconociendo el hecho de que contaban con más cosas positivas a su favor. Cada uno de ellos decidió: "Voy a sacarle el mejor partido a lo que tengo. Voy a tener un buen día, todos los días".

Otra manera de tener un día bueno, productivo, es haciendo una lista de las cosas que usted quiere o necesita hacer. Asegúrese de incluir una buena acción en favor de alguien, y de desarrollar la actitud positiva que consiste en motivar a los demás a que sean felices. Encuentre algo bueno que decirle a cuando menos una persona. Tal gesto contribuirá para que dicha persona tenga también un buen día.

Contemple la belleza del cielo duchándose a la intemperie

Una tibia mañana de sábado, en el mes de agosto, estaba trabajando en el patio, podando el pasto y rastrillando, y tenía mucho calor y sudaba mucho. Mi secreto para refrescarme aquel día fue desvestirme y salir a ducharme ¡a la intemperie!

Casi todas las casas playeras a lo largo de las costas tienen regaderas afuera. El propósito primordial de estas regaderas es, desde luego, enjuagarse la arena y el agua salada, pero a mí siempre me ha gustado pararme afuera debajo de la regadera. Me gusta tanto darme regaderazos a la intemperie, que instalé una regadera en mi casa hace varios años.

Ahora, después de trabajar en el jardín y acabar acalorado y sudoroso, puedo saltar bajo la regadera sin tener que entrar a la casa. Mi esposa dice que me retrasé como 20 años. Hubiera sido mucho mejor, dice ella, que hubiéramos tenido la regadera fuera de la casa cuando nuestros hijos eran pequeños aún.

Cuando instalamos nuestra regadera, estaba descubierta. No hubo problema hasta que me di cuenta de que los vecinos espiaban por las ventanas y se reían. Decidí que lo más conveniente era poner unos canceles alrededor de la regadera, pero aún sigue sin techo. Ahora los únicos que me preocupa que me vean son las ardillas y los pájaros en los árboles. El otro día advertí que había algunos viéndome y riendo, pero sigo rehusándome a ponerle techo a la regadera.

Disfruto mucho esta regadera por varias razones. Una es por ser tan refrescante. Otra es porque no hay que limpiar ningún batidillo al terminar. Pero la principal razón es que mientras estoy parado bajo el agua fresca y refrescante, puedo alzar la vista hacia los árboles y el cielo, y maravillarme ante el maravilloso universo en que vivimos. No soy astrónomo, ni conozco todos los nombres técnicos de las cosas que veo, pero ciertamente reconozco la belleza desplegada de tan notable forma. Esta es para mí tan sólo otra forma de apreciar y disfrutar la naturaleza. Creo que todos deberíamos alzar la vista al cielo de cuando en cuando y pensar en las maravillosas bendiciones asequibles a todos.

En una ocasión, cuando acabé de ducharme, pisé una piña de pino y me lastimé el pie. Sí, levante la vista al cielo y cólmese usted mismo apreciando su grandeza, pero fíjese en las piñas de pino que pueda haber en su camino. ¡Tómese unos cuantos minutos todos los días para contar sus bendiciones y, entre ellas, incluya al hermoso cielo!

Haz el silencio apagando tu aparato para oír

¿Alguna vez ha oído usted el antiguo adagio que dice: "Cuando tienes un limón, ¿qué haces con él?". La respuesta, desde luego, es: "¡Haces limonada!" La mayoría de nosotros necesitamos desarrollar la actitud positiva que nos ayuda a convertir nuestras responsabilidades en valores, nuestros limones en limonada.

Uno de mis mejores amigos usa un aparato para oír. Es casi completamente sordo de un oído, y usa un aparato para oír en el otro. Sin él, apenas puede escuchar los sonidos. Ahora bien, desde mi punto de vista, el hecho de no poder oír es una de las peores cosas que me puedo imaginar. Me parece casi tan malo como no poder ver.

Felicidad

Un día le pregunté a John qué se sentía usar un aparato para oír. "Dutch", me preguntó, "¿alguna vez has tratado de estar tranquilamente sentado en tu casa para pensar en cierto problema, y que el perro del vecino empiece a ladrar como si un gato se hubiera metido en una perrera? ¿Alguna vez has tratado de relajarte y comer tu comida en paz en un restaurante lleno de gente y que el murmullo de las voces no deja de agobiarte?, ¿y que no puedes hacer nada en esas situaciones? Bueno, pues yo sí puedo hacer algo al respecto. Apago mi aparato para oír y así puedo pensar y relajarme. Como tú sabes, para mi trabajo necesito pensar y concentrarme mucho. Mi problema auditivo es una de las mejores cosas que me han sucedido. Si estoy trabajando en casa, cosa que ocurre frecuentemente, y mi esposa quiere oír música, sencillamente apago mi aparato para oír, y así estamos contentos los dos".

John ha aprendido a sacarle partido a su desventaja. El se ha dado cuenta de que, cuando tienes un limón, lo mejor que puedes hacer es limonada. No es el único. Todos los días vemos gente que ha hecho lo mismo, pero no siempre nos damos cuenta. También vemos gente que se queja de que no puede llegar a ninguna parte porque no tiene título universitario, o porque no tiene automóvil, o porque tiene alguna desventaja física.

Mucha gente ignora que Franklin D. Roosevelt estaba confinado a una silla de ruedas. No permitió que los invalidantes efectos de la polio lo detuvieran en su escalada hasta la cúspide, ni que le impidieran hacer u- na gran contribución a los Estados Unidos y al mundo entero. Otro ejemplo sobresaliente es Susan Aude Fisher, una figura de los noticieros televisivos de una de las principales transmisoras de Columbia, Carolina del Sur. Cuando era una adolescente sufrió una lesión en la columna en un accidente automovilístico, y desde entonces ha estado en silla de ruedas. Susan no desesperó. Se tituló y consiguió trabajo para dar el reporte del tiempo y como reportera, en el área de su elección, y ha llegado a ocupar un puesto en la cúspide.

Si eres demasiado alto, estírate aún más

¿Qué es lo que mucha gente desea con más fervor? Muchas veces, quieren algo que no pueden tener. Desafortunadamente, demasiadas personas no han desarrollado la actitud positiva que les permite saber que pueden conseguir algo casi tan bueno como aquello que no pueden poseer.

¿Alguna vez ha advertido cuánta gente de baja estatura quisiera ser alta, y cuánta gente alta quisiera no serlo tanto? ¿Cuánta gente pesada quisiera ser ligera y cuánta gente flaca quisiera pesar más? ¿Cuántas trigueñas quisieran ser rubias? Podría pasarme todo el día escribiendo y no terminaría la lista de personas que quisieran ser otra cosa. El punto al que quiero llegar es

Felicidad

que muchos de nosotros no somos felices con lo que somos. La pregunta es: "¿Por qué?"

Si usted se fija, notará cómo la gente siempre se la pasa autocriticándose. Nos la pasamos comparándonos con otras personas, diciendo cosas como: "Si pudiera ser igual que él o ella". Esa es una clara señal de que andamos mal de nuestra autoestima.

Jeanne Robertson es una dama que mide 1.85 de estatura. Ha sido así de alta desde los 13 años. A medida que Jeanne crecía, y crecía, y crecía, era objeto de burlas por parte de los demás. Relata lo irreflexiva que es la gente a veces, y cómo aprendió a vivir oyendo preguntas como: "¿Cómo está el clima allá arriba?" En un momento determinado de su vida, Jeanne llegó a aceptar el hecho de ser diferente, pero no de una manera negativa. Jeanne transformó su diferencia en una actitud positiva. Gracias a su bravura y su autoestima, Jeanne Robertson entró al concurso Señorita Carolina del Norte ¡y lo ganó! También compitió en el concurso Señorita América.

Actualmente, Jeanne Robertson es una de las humoristas más exitosas de los Estados Unidos. ¿Por qué se ha hecho tan popular Jeanne Robertson? ¡Ha aprendido a usar su diferencia en su provecho! Buena parte de su humor se basa en su propia experiencia personal por haber sido una niña y luego una mujer sumamente alta. Jeanne Robertson se promueve a sí misma como una mujer alta con un alto sentido del humor.

Le tomó mucho tiempo a Jeanne encontrar la forma

de sacarle ventaja a su diferencia. No solamente es reconocida por el público, sino también por sus colegas, y ha fungido como presidente de la Asociación Nacional de Locutores.

¿Cuál considera usted que es su peor desventaja? Si piensa al respecto, puede llegar a convertirse en su valor más positivo. Piense en Phyllis Diller. Decidió convertirse en lo que su nombre significa, una brillante y alegre "hoja verde", en lugar de una apagada y mal geniuda. Piense en Bob Hope y Jimy Durante. Transformaron sus grandes narices en valores. Con una actitud positiva ¡nosotros podemos hacer lo mismo! Podemos ser felices con lo que tenemos.

Encare el miedo de frente

Alguna vez alguien le ha dicho: "Es sólo tu imaginación. No te preocupes, no hay nada de qué temer". Aquel intento por tranquilizarle no le quitó el miedo. ¿O sí? El miedo es muy real. He aquí una historia sobre una mujer que, con una actitud positiva, se quitó el miedo.

Una dama de nombre Diana me contó la historia de cómo le perdió el miedo al agua. La historia se desarrolla en un paraje rural, con un grupo de niños paseando por el campo. Corrían y jugaban, dejándose llevar básicamente por lo que se les iba antojando. Si uno de ellos pateaba un terrón de tierra, todos los otros lo imitaban. Cuando uno de ellos corría y saltaba, los demás también corrían y saltaban, jugando a "lo que hace la mano hace la trás".

El grupo llegó a un pequeño lecho de agua. Era un estanque de riego, un depósito de manufactura humana, de donde el agua era bombeada para regar las plantas.

La guía del juego decidió nadar y puso el ejemplo metiéndose al agua. Naturalmente, los demás la siguieron. Diana jamás se había metido al agua, como no fuera en la tina, y se mostraba reticente a seguir al grupo. Dijo que el agua estaba tan clara, "que se podía ver el fondo". Decidió hacer también el intento. Empezó por la orilla del estanque, donde el agua apenas le llegaba a la rodilla. Se sentía tan sabrosa el agua, que decidió aventurarse un poco más adentro y pronto el agua le llegó a la cintura. Entonces, repentinamente, pisó en un agujero y el agua la cubrió más allá de la cabeza. No sabía nadar y se llenó de pánico, poniéndose a gritar y a patalear. Su hermano, que estaba parado cerca de la orilla, vio una rama de árbol en el piso, la cogió, y la alargó hacia su hermanita. Diana sujetó la rama y fue rescatada. Pero desde ese día, hasta después que entró a la universidad, Diana no se acercaba al agua.

En la universidad de Diana, la natación era una materia obligatoria. Diana tenía un problema. No sólo no sabía nadar, sino que se aterrorizaba de tan sólo meterse a la alberca. Sin embargo, merced al positivo aliento de algunos amigos y a un entrenador comprensivo, ella empezó finalmente a meterse a lo bajito de la alberca.

Pronto empezó a chapotear y a nadar de perrito y a divertirse. Gracias al continuo aliento que le brindaban sus amigos y su entrenador, Diana hizo acopio de valor suficiente para aventurarse en lo hondo. Para ella representaba un gran logro y se sentía orgullosa. Con la ayuda de personas comprensivas y una actitud positiva de su parte, Diana superó su temor al agua. Llegó a ser tan buena nadadora que la invitaron a unirse al equipo de natación de la universidad. ¿Qué le parece esa manera de superar el miedo?

La mayoría de nosotros tenemos algún tipo de miedo. Uno de los miedos más comunes es pararse a hablar delante de un grupo. Aprenda usted una lección con la historia de Diana. Decida que para usted es importante superar su miedo, y haga algo al respecto. Cualquier miedo puede superarse con ayuda de un entrenador y maestro comprensivo. Búsquese uno e inscríbase en el curso que imparta. ¡Superar su miedo puede ayudarle a alcanzar la felicidad!

Véase como alguien importante

Cuando estaba yo creciendo mi madre siempre me decía que colgara mi ropa, que boleara mis zapatos, y que mantuviera mi cabello corto y bien peinado. Recuerdo que en ocasiones me hacía cambiarme de ropa porque la que yo había elegido no era apropiada para el sitio al que acudiríamos. En aquel entonces, yo pensaba que su única intención era fastidiarme. No dejaba de enfatizar: "La primera impresión que das dura mucho tiempo, te juzgan por tu apariencia. Tienes que verte limpio para que te traten con respeto". ¿Podría relacionarse usted mismo con alguna de las afirmaciones anteriores o con todas ellas? La importancia de dicha lección se me presentó en casa hace unos cuantos años.

La mayor parte del tiempo uso traje, abrigo, corbata y camisa blanca. Tal es el atuendo apropiado para alguien que pasa mucho tiempo en público, como es mi caso. Por muchos años he estado haciendo mis operaciones bancarias con el mismo banco, y siempre que llegaba al banco, iba de traje y corbata, hasta cierto día hace varios años. En aquel día en particular, no tenía yo citas ni juntas, de manera que decidí vestir informalmente. Me puse pantalones de mezclilla y una playera y llegué al banco para cambiar un cheque. Llevo mucho tiempo haciendo mis operaciones en ese banco. Había colas de gente esperando que las atendieran. Yo me formé en una de las filas. Cuando llegué ante la cajera, le entregué mi cheque y con voz gruñona me preguntó: "¿Tiene una identificación?" Me sorprendí porque yo había venido ya antes con esta misma cajera. Comprendiendo la importancia de mostrar una identificación apropiada, no dije palabra; sencillamente le entregué mi licencia de conducir. Entonces ella me dijo: "Oh, Sr. Boling, no lo reconocí vestido así". A partir de aquel incidente, no me presento al banco si no voy de traje y corbata.

Mi madre tenía razón, somos juzgados por nuestra apariencia. Tenga usted la apariencia de ser una persona importante y lo tratarán como a una persona importante. Ello le ayudará a ser feliz.

No se duerma en sus laureles

¿Qué cosa es la confianza en uno mismo? En los términos más simples, consiste en verse uno mismo como un éxito. No se trata de soñar despierto, pensando que sería usted un éxito.

No, de hecho tiene usted que verse efectivamente involucrado en un logro exitoso y concentrarse en él, olvidando las veces que ha fracasado.

No debe dormirse en sus laureles. Debe usted bregar continuamente para seguir logrando éxito en sus empresas.

Una vez conocí a un jugador de futbol americano de una preparatoria; era un extremo bastante competente, en un equipo apenas competente. Aproximadamente a mitad de la temporada, en el año de su graduación, Bill hizo una jugada espectacular. Rodeado de contrarios, atrapó un pase en la zona de anotación, logrando el único tanto del juego. Aunque se hallaba debajo de una pila de ocho jugadores, Bill estaba alegrísimo. Sus compañeros de equipo también lo estaban. ¡Finalmente habían ganado un partido! Desafortunadamente, aquello fue suficiente para Bill.

Volvió a jugar igual que antes. Se sentía contento consigo mismo considerándose el héroe de aquel partido, sin darse cuenta de que para seguir siendo un éxito, uno debe seguir ganando partidos, ya sea en el juego del futbol o en el juego de la vida. Usted debe verse usted mismo como un éxito y repetir los actos que suscitaron el éxito inicial.

¿Qué tiene que ver esto con la confianza en uno mismo? Todos los ejecutivos de éxito la tienen; dicha imagen de uno mismo como un éxito, aparejada con el ímpetu de seguir triunfando. Todos los atletas destacados la tienen.

Cada una de dichas personas puede remembrar con claridad su primer triunfo. El ejecutivo puede evocar aquella primera venta, o aquel primer problema que resolvió, y todos los pasos que siguió para que resultara un éxito.

El atleta puede evocar aquella primera jugada espectacular, que determinó que ganaran aquel partido, y cómo la ejecutó. Todos ellos continúan observando la lección del triunfo, al seguir aplicando los principios que ellos personalmente constataron que funcionan. La confianza en usted mismo le ayudará a ser una persona feliz.

Busque tesoros ahí donde usted se encuentra

¿Alguna vez se ha puesto a pensar en los tesoros a su alcance, justo ahí donde usted se encuentra, o está usted tan descontento con su vida que está convencido de que jamás nada bueno le sale por su camino? Hay personas que realmente creen que el pasto sale más verde al otro lado de la barda. Esta es la historia de un tipo que pensaba así, y de lo que le sucedió.

Aproximadamente a principios de siglo, el Dr. Russell N. Conwell impartió una cátedra titulada "Acres de Diamantes" en más de 5,700 ocasiones. La cátedra giraba en torno a un granjero que vendía su granja por cierta suma, dejaba a su familia al cuidado de un vecino, y partía en busca de diamantes. Buscó su tesoro en todos los sitios que supuestamente eran los correctos, sin éxito alguno. Finalmente, se le acabó el dinero producto de la venta de su granja, y quedó arruinado, harapiento y abatido por la pobreza. Se encontraba en las costas de una bahía de Barcelona, España. Cuando se aproximó una enorme ola, aquel hombre pobre y doliente no pudo resistir la terrible tentación de lanzarse al mar. Se hundió bajo la cresta de la ola y jamás se le volvió a ver.

Un día el nuevo propietario de la granja llevó a su camello a brevar a un arroyuelo. Cuando el camello metió la nariz en el agua clara de aquel pequeño canal del jardín, el dueño advirtió un raro fulgor en las arenas del arroyuelo. ¡Sí, era un diamante! Según la historia ¡era uno de los más magníficos diamantes que jamás se hayan descubierto!

La moraleja de esta historia es que usted y yo tenemos a nuestro alcance, en este mismo momento, justo donde nos encontramos, una mina llena de tesoros justo en el patio de nuestra casa. Estos tesoros se nos presentan en forma de oportunidades. Busquémoslas y aprovechémoslas ¡ahora! Y recuerde que el mayor de estos posibles descubrimientos se encuentra en uno mismo.

¿Cómo hace uno para descubrir tesoros dentro de uno mismo? El punto de partida es desarrollar una imagen de sí saludable. Los sentimientos de inferioridad y la desadaptación interfieren con el desarrollo de nuestras potencialidades. Si creemos en nosotros mismos y desarrollamos un pleno autorespeto, descubriremos que se trata de una excelente manera de prepararnos para obtener resultados positivos.

Sé que puedo porque...

Mucho antes de convertirme en orador profesional, fue para mí un placer hablar una noche durante una conferencia de desarrollo comunitario en la Universidad de Georgia en Atenas. En aquel entonces yo era ejecutivo de la Cámara de Comercio en Hartsville, Carolina del Sur. El año anterior, Hartsville había merecido el honor de ser nombrada "la ciudad más limpia de los Estados Unidos" en la categoría de poblaciones de su tamaño. Me pidieron que hablara sobre cómo la ciudad lo había logrado.

Hartsville se había hecho merecedora de dicha distinción antes que yo apareciera en escena. Como yo no había estado personalmente involucrado en el proyecto de limpia, tuve que hacer una gran labor de investigación para averiguar quién había hecho qué, y cómo lo habían hecho. Me enteré de que la fórmula empleada para este proyecto masivo había sido la siguiente:

PLANEA para lograr los resultados deseados
ORGANIZA para que el plan sea puesto por obra
MOTIVA a la gente para que ejecute el plan
CONTROLA las actividades para que se ajusten al plan

Decidí utilizar dicha fórmula para delinear mi presentación.

Sabía que varios cientos de personas, en representación de los 13 estados del sureste, asistirían a la conferencia, de manera que trabajé muy duro para preparar esta plática tan importante. Yo representaba a mi comunidad, y quería hacer lo mejor que pudiera.

Felicidad

Clyde Osborne, editor de la vida rural para la revista The Charlotte Observer, en Charlotte, Carolina del Norte, cubrió para su periódico aquella conferencia. Enseguida se citan algunas líneas de su artículo:

"Uno de los mejores reportes —muy completo pero conciso— fue presentado por J.E. Boling de Hartsville, Carolina del Sur. Sus palabras esbozaron un esquema perfecto de planeación y organización.

"Boling, un orador dinámico que mantuvo al público en la orilla de sus butacas, tratando de no perder palabra".

Dichos comentarios, publicados en un periódico muy importante, me ayudaron enormemente para desarrollar más mi confianza como orador público. Sé que soy efectivo como orador. Lo sé porque Clyde Osborne lo dijo en su artículo.

No creo que esta actitud sea un exceso de confianza de mi parte. No dije que soy el mejor orador. Dije que soy un orador efectivo. Lo que digo es que tengo confianza en mí mismo. Desde luego, decaigo de vez en cuando, pero si esto ocurre, echo nuevamente un vistazo a los comentarios en The Charlotte Observer. Eso me ayuda a creer en mí mismo, en lo que hago, y me ayuda a saber que puedo hacerlo.

El éxito llama al éxito.

La razón principal por la que referí esta historia es la de enfatizar la necesidad de rememorar nuestras experiencias exitosas. Ello definitivamente le ayudará a desarrollar la positiva actitud de la autoconfianza. Haga una lista de sus éxitos y repásela de cuando en cuando.

Hay que empezar por la viga más baja

Me gusta jugar al golf. El juego representa todo un desafío, el escenario de la mayoría de los campos de golf es hermoso, y disfruto la camaradería al jugar entre amigos. Hace mucho tiempo llegué a la conclusión de que jamás podría participar en los circuitos profesionales y decidí limitarme a divertirme. Sin embargo, me he dado cuenta de que me divierto más cuando logro una puntuación decente, que cuando juego mal. También he descubierto que cuando mi marcador es decente, parezco estar más confiado en mi juego. También me siento más confiado cuando practico antes de jugar, y descubro que puedo hacer buenos tiros.

Es posible aprender una excelente lección observando la sesión de práctica antes de un partido de basketball. Los jugadores forman dos hileras sobre la cancha. El primer jugador de una de las hileras arroja la pelota al primer jugador de la otra hilera, el cual trata de encestar. En la mayoría de los casos, cada jugador hace sus tiros a la canasta sin dificultad. A medida que la práctica avanza, los jugadores efectúan tiros de más y más lejos.

Los tiros cortos y fáciles a la canasta ayudan a los jugadores a desarrollar la autoconfianza. Después de que un jugador hace unos cuantos tiros cortos, empieza a tirar desde una distancia progresivamente mayor.

He puesto en práctica esta técnica para ejercitarme

Felicidad

en el golf, y sí funciona. Poteando a corta distancia sobre el green de prácticas, me cercioro de que el hoyo no tenga tapadera y que puedo meter la mayoría de mis tiros desde una distancia de treinta centímetros. Después de meter unos cuantos tiros desde esa distancia, me hago para atrás sesenta o noventa centímetros, y desde esa distancia la mayoría de mis tiros caen al hoyo. Cada vez me voy haciendo más para atrás, sabiendo que voy a meter algunas veces la bola al hoyo en los tiros más largos. Por medio de esta rutina, puedo hacer bien mis tiros al hoyo y llevar conmigo esta actitud al campo de juego, de suerte que acabo metiendo la mayoría de mis tiros al hoyo cuando poteo. La clave es la confianza en uno mismo.

¿Ha sido usted alguna vez superintendente de acera? Si quiere usted saber cómo serlo, pregúnteme. ¡Soy uno de los mejores!

Me gusta ver trabajar a los obreros de la construcción, especialmente cuando trabajan en grandes proyectos, como por ejemplo levantar un alto edificio. Hace algún tiempo, cuando un gran edificio de oficinas estaba siendo construido, sentí que tenía la obligación de ser superintendente de acera. Ahí estaba yo, parado en la acera, viendo a los trabajadores colocar vigas de acero aproximadamente en el piso doce. Los trabajadores caminaban sobre dichas vigas, al parecer tan cómodamente como yo sobre la acera. Me preguntaba cómo era posible que aquellas personas, no obstante el peligro, pudieran caminar con tanta desenvoltura sobre aquellas vigas tan elevadas. ¿Estaría yo dispuesto a subir al duodécimo piso para hacer lo mismo que ellos? No me tardé en responderme aquella pregunta.

El capataz se encontraba a nivel del piso y yo le pregunté sobre aquellas raras personas. ¿Cómo logran que la gente acepte un empleo tan riesgoso? Me contestó: "¡Les encanta!". En su respuesta podemos encontrar una valiosa lección:

"Esos obreros empezaron trabajando al nivel del piso. Caminando sobre las vigas que hay sobre el suelo se dieron cuenta de que podían hacerlo. A medida que el edificio fue subiendo en altura, ellos fueron subiendo junto con él. Naturalmente que no dejamos que nadie camine en el piso doce, hasta que no sepa que puede hacerlo. A nivel del piso se dan cuenta de que pueden hacerlo.

"Una vez que por experiencia han aprendido a hacerlo a nivel del piso, se sienten cada vez más orgullosos de lo que hacen y se alegran de su trabajo. Además, ¡mientras más alto suben, más ganan! Y lo más probable es que esas personas, cuando el edificio quede terminado, pasen por aquí y le digan a quien esté dispuesto a escucharlos que ellos ayudaron a construir el edificio. ¡Están llenos de entusiasmo!"

¿No es verdad que dicho principio se aplica a todos nosotros en nuestros respectivos trabajos? ¿Acaso no somos más felices cuando tenemos confianza en nosotros mismos y nos entusiasma nuestro trabajo? Para desarrollar las actitudes positivas de la autoconfianza, empiece por el enceste en corto, el poteo en corto, y la viga a nivel del piso.

La paciencia evita úlceras

¿Se ha visto en una situación que podría sacar de quicio a cualquiera? ¿Dejó que su temperamento se desbocara o logró mantener la calma?

Una mañana me dirigía a la ciudad en horas de mucho tráfico. Como muchas veces sucede cuando la gente lleva prisa, un tren bloqueó la calle. Naturalmente, los carros se echaron en reversa esperando que el tren pasara. Un carro se detuvo detrás mío y observé a su conductor por el espejo retrovisor. Se quedó quieto unos instantes, pero luego me di cuenta de que se iba impacientando, inclusive angustiándose. Al parecer llegó a la conclusión de que no podía seguir esperando y empezó a tocar el claxon. Me imagino que pensó que, tocando el claxon, iba a lograr que el tren avanzara más rápidamente, pero no fue así. Al parecer pensó que podía coger otra ruta. Dio vuelta en U y tomó otra dirección, rechinando llantas. El semáforo estaba en rojo cuando llegó a una bocacalle aproximadamente a media cuadra de distancia, y el impaciente conductor se pasó el alto. Cerca había un policía. Ya sabe usted el resto de la historia. Después de que el tren pasó y que los demás conductores reanudaron la marcha hacia sus respectivos lugares de destino, el conductor impaciente seguía en el mismo lugar.

Mucho se puede lograr con un poco de paciencia. Muchos trenes han bloqueado el camino de mucha gente, pero no necesariamente ello les hizo cambiar su actitud con respecto de la importancia de la paciencia.

Alguien dijo una vez: "Paciencia infinita es el precio que muchos han pagado por el éxito".

Thomas Edison es un ejemplo clásico de cómo la paciencia, aparejada con la perseverancia, puede recompensarnos. Su actitud positiva fue uno de los factores primordiales para el éxito en la invención de la luz incandescente. Le preguntaron a Edison cómo se había sentido, antes de perfeccionar su bombilla de luz, después de haber fallado 10 mil veces. El contestó: "¡Ningún fallado! No he fallado 10 mil veces en nada. He descubierto con éxito 10 mil métodos que no funcionan". De hecho, Edison llevó a cabo más de 14 mil experimentos en el proceso de perfeccionar la luz incandescente. Eso es paciencia, reforzada con una buena dosis de perseverancia.

Otro buen ejemplo es Noah Webster, quien pasó 36 años desarrollando su diccionario. Actualmente, una de las definiciones de "paciencia" en el Diccionario Webster dice que significa: "mantenerse firme no obstante la oposición, las dificultades o la adversidad".

El Webster's Thesaurus dice que "paciencia" es "el poder o la capacidad de resistir sin queja algo difícil o desagradable".

¿De manera que cómo podemos desarrollar una actitud paciente que nos permita sobrellevar pruebas y tribulaciones, una actitud que nos ayude a tener éxito en la consecución de nuestras metas? Sigue siendo una cuestión de autocontrol.

Felicidad

Como nuestra madre siempre decía: "Puedes hacer cualquier cosa si te avocas a ello". Desarrollar la positiva actitud de la paciencia requiere de práctica, ¡pero lo podemos lograr! El resultado es felicidad y contento sin úlceras.

La identificación de oportunidades

¿No le gustaría tener fama de original y creativo? "Hombre", dirá usted, "nunca en mi vida he escrito un libro, ni he pintado un cuadro, ni he inventado nada". Eso puede ser verdad, pero esos no son los límites de la creatividad. ¿Alguna vez se le ha ocurrido una idea sobre un mejor método de hacer algo? Eso también es pensamiento creativo. Todo logro en el mundo tiene que comenzar con una idea. Quienes pueden concebir dicha idea, y hacer que funcione, ¡ciertamente son creativos!

Cuando estaba en la preparatoria, trabajaba en el segundo turno de una planta textil. En aquel entonces, la única manera de llevar telas de un lado a otro de la planta, y de la planta a los trenes de carga y a los camiones, era por medio de carretillas de mano. Llevarlas era trabajo pesado, y correspondía a Hut Bennett. Acarreaba cientos de cajas o pacas de tela durante su turno de ocho horas. Hut se quejaba constantemente.

Se acongojaba incesantemente por "este miserable trabajo". Un día le pregunté: "Hut, si estás tan molesto con tu trabajo ¿por qué no renuncias?" Me contestó: "Cuando empecé a trabajar aquí, traía diez dólares en la bolsa. Si alguna vez vuelvo a tener tanto dinero de sobra, entonces voy a renunciar".

Actualmente se utilizan muy pocas carretillas en las plantas textiles. Ahora el trabajo lo ejecutan los montacargas y los sistemas transportadores.

¿Cómo se relaciona eso con Hut?. Bien, pues Hut podría haber sido quien inventara o desarrollara el sistema de transporte para mover telas. Hut podría haberse puesto a pensar en formas mejores o más fáciles de hacer su trabajo. Podría haber inventado o ayudado a inventar un producto importantísimo, tal como el sistema transportador de las plantas textiles. Todo esto hubiera sido posible, si tan sólo Hut se hubiera tomado un poco de tiempo para preguntarse: "¿Cómo podría hacerse mejor este trabajo?"

"¿Cómo podría hacerse mejor este trabajo?" es una pregunta que deberíamos plantearnos con respecto de casi todo lo que hacemos, si queremos cosechar los frutos del pensamiento innovador y creativo.

Jamás debemos atorarnos en la clase de forma de pensar que sostiene: "Así es como siempre se ha hecho, ¿de manera que por qué debería yo de cambiarlo?" Por el contrario, siempre debemos estar abiertos a las nuevas ideas. Y recuerde, cuando tenga una buena idea, apúntela. ¡No la deje escapar!

No dude en experimentar, en quebrantar la rutina e

intentar algo nuevo y diferente. Siempre hay posibilidad de mejorar todo. Recuerde, aquello de lo que somos capaces depende en gran medida de lo que pensamos que podemos hacer.

"¿Cómo puedo hacerlo mejor?" Haga de esta actitud parte de su vida diaria. Inténtelo la próxima vez que su jefe le asigne una tarea que usted tema y que consuma su tiempo. Inténtelo cuando esté ansioso de una promoción. Si es usted padre de familia, inténtelo con sus responsabilidades de padre. Si es usted estudiante, inténtelo con sus hábitos de estudio. "¿Cómo lo puedo hacer mejor?" Esta sencilla pregunta es una clave para llegar a ser creativo, innovador y feliz.

Pórtese como si la compañía fuera de usted

Aprendí otra importante lección cuando trabajaba en el segundo turno de aquella planta textil. Después de haber trabajado ahí aproximadamente ocho semanas, le pedí a mi jefe un aumento. Su respuesta: "Joven, cuando yo sienta que merece un aumento, se lo daré".

Mi trabajo de ayudante de mecánico significaba que le llevaba la herramienta al mecánico y que era su mandadero. (Podía mandarme de aquí para allá y de allá para acá). En aquel trabajo yo tenía acceso a toda la planta y podía hablar con personas de todas las áreas. Me enteré a través de amigos de otros departamentos que la política de la compañía era conceder aumentos de sueldo después de que un trabajador llevaba seis semanas en el trabajo. Para entonces yo había estado trabajando ocho semanas y no había recibido ningún aumento. Pensé que a lo mejor mi jefe desconocía la política de la compañía. Consideré firmemente que era mi obligación, por su bien, desde luego, informarle cuál era la política.

Todos llamaban a mi jefe "Mr. Mac". Su título era maestro mecánico, y ciertamente desempeñaba su oficio con maestría. También tenía fama de ser firme y severo. Era un tipo duro.

Un día, cuando Mr. Mac caminaba por la planta, encontré la oportunidad de informarle cuál era la política de la compañía con respecto a los aumentos de sueldo. "¡Oiga Mr. Mac!", le dije, "necesito hablar con usted". Se detuvo y me miró con su bien conocida expresión severa, viéndome directamente a los ojos.

"Sí, ¡qué quieres!". Le dije que algunos amigos míos habían empezado a trabajar, en otros departamentos, al mismo tiempo que yo y que, según ellos, era política de la compañía dar al empleado un aumento de sueldo después de haber trabajado ahí seis semanas. Le dije que a ellos les habían dado aumentos, y a mí no. Mr. Mac me interrumpió diciéndome: "Mire, joven, cuando yo sienta que merece un aumento, se lo daré". Luego siguió caminando por la planta. No puedo repetir lo que pensé en ese momento, pero puedo decirle que no fueron precisamente cumplidos.

Después de dos semanas, recibí un aumento de 45 centavos a 50 centavos la hora. Comprendí que si hacía mejor el trabajo, vendrían después los aumentos de sueldo. Nótese que dije "vendrían después". Antes había que hacer mejor el trabajo.

Muchas personas de éxito me han dicho que una de las maneras más efectivas de que te asciendan es efectuar más trabajo del que te pagan. Progresar incrementa la felicidad. Alguien lo planteó de la siguiente forma: "Actúe como si fuera el dueño de la compañía, haciendo más de lo que se espera de usted, y un poco más".

Infunda un poco de ánimo: "Es otro gran día. ¿No es verdad?"

La mayor parte de mi vida la rutina que solía emplear para saludar a alguien era: "Buenos días, ¿cómo está usted?" Como todos sabemos, la respuesta clásica a dicho saludo siempre ha sido: "Bien, ¿y usted?" Sin embargo, en muchas ocasiones la respuesta era: "No demasiado bien. He tenido un día muy pesado", o, "No dormí bien anoche". Inclusive en una ocasión una persona me preguntó: "¿Y para qué quiere saber cómo estoy?" Otra se tomó media hora para relatarme, con lujo de detalles, cuán terribles cosas le ocurrían. Tras recibir varias de estas respuestas negativas, llegué a la conclusión de que esta manera de saludar es un hábito aprendido.

Un día estaba en la fila de la caja de un supermercado. Me di cuenta de que la cajera se veía cansada, irritada y frustrada. Era evidente que estaba teniendo un día bastante pesado. ¡Decidí que iba a hacerla sonreír! Con una sonrisa en el rostro y entusiasmo en la voz le dije: "¡Hola! Es otro gran día, ¿no es cierto?" Había yo advertido que, hasta ese momento, la cajera había volteado muy poco a ver a sus clientes. Había estado viendo las etiquetas con los precios y la máquina registradora, y probablemente estaba harta de aquella rutina.

Se veía impactada después de que la saludé con tal entusiasmo, ¡pero funcionó! ¡Sí me volteó a ver! ¡Me sonrió! Me dijo: "Sí, supongo que sí, ¿verdad?"

Mi desafío es que deje usted de emplear ese viejo y trillado saludo del "¿Cómo está usted?" En lugar de ello, utilice un alegre: "Es otro gran día ¿verdad?" Inclusive si el día no ha sido demasiado bueno, esta forma positiva de abordar a la persona contribuirá a mejorar el día, no sólo para la persona a quien usted saluda, también para usted mismo.

Llevemos este asunto de los saludos un poco más lejos. En mi experiencia, me he dado cuenta de que el clásico saludo telefónico es un hosco "¿Bueno?". Cuando alguien contesta el teléfono de ese modo, sien-

Felicidad

to como si me estuviera diciendo: "Qué fastidio. Ojalá que no hubieras llamado".

He aquí otro desafío. Cuando el teléfono suene, sonría y contéstelo diciendo: "¡Buenos días! Habla (diga su nombre)". El mensaje que recibe la persona que llama es: "¡Qué buena onda! A él le da gusto que yo haya hablado, aunque todavía no sepa quién soy".

¡Practique esta forma positiva de abordar a la gente con el saludo e infunda felicidad!

"La mayoría de las personas son tan felices como mentalmente se disponen a serlo": Lincoln.

60

ENTUSIASMO

Qué es el entusiasmo? ¿Qué es lo que hace a una persona entusiasta, y, al parecer, colmada de energía sin límite? Podría llamar usted entusiasta a un huracán o a una explosión de dinamita. Ambos están llenos de energía incontenible. Si bien el entusiasmo frecuentemente es acompañado con una manifestación de energía física, esa no es la respuesta íntegra de lo que hace entusiasta a una persona.

¿Qué es, entonces, lo que hace entusiasta a una persona? ¿Por qué ciertas personas parecen bullir con una energía sin límite? ¡Estas personas saben que el entusiasmo es un estado mental! Estos héroes han desarrollado una actitud positiva que emplean para gran ventaja suya en su trabajo y para resolver los problemas que enfrentan. Lo más importante de todo, la emplean para compartir sus métodos entusiastas cuando tratan con la gente. Cuando usted estrecha la mano de una de estas personas, no es como agarrar un pescado muerto; por el contrario, se siente como si lo levantaran a uno, por la energía que parece fluir de esa persona hacia usted.

La manera en que un héroe manifiesta su entusiasmo, su actitud positiva hacia los demás, puede a su vez motivarlos a la acción. Los héroes inspiran. Cuando los héroes hablan, la gente escucha y respeta lo que se dice. Saben que el héroe es sincero y ello se refleja en un sincero entusiasmo.

Una de las máximas emociones que uno puede sentir es escuchar a una persona sumamente entusiasta hablar, ya sea ante un numeroso público, ante un pequeño grupo, o simplemente con otra persona. ¿Por qué? Esa persona comparte su actitud positiva y llena de energía con la gente. ¿Cómo hace la gente entusiasta para que los demás capten sus mensajes? Muy raras veces lo logran gritando, enfureciéndose o tronando, si bien hay veces en que dichas tácticas parecen funcionar. Lo que la persona verdaderamente entusiasta hace es canalizar su actitud energética en lo que dice ¡mientras enfatiza sus palabras con acción! Un ejemplo extremo es el del orador que golpea sobre el atril, o agita el libro del cual está haciendo citas. Con mayor frecuencia se logra empleando ademanes positivos o ilustraciones gráficas de lo que se dice. Independientemente de lo que el orador haga, sus palabras y ademanes son positivos.

¿Qué tan lejos considera usted que habría llegado

Patrick Henry, o cualquier otro líder carismático, si hablara monótonamente, con voz apagada, y se quedara tieso delante del auditorio? La voz del orador, el tono subiendo y bajando, y sus ademanes imprimen vida a las palabras que dice.

"Pero yo no soy muy bueno para hablar. No soy un gran orador", podría usted decir, "¿a mí eso de qué me sirve?" ¡Usted se sorprendería de cuántas personas comunes y corrientes, como usted y yo, han remontado inmensas alturas desarrollando la positiva actitud del entusiasmo!

APOYO # 2

LA CURIOSIDAD en un sujeto desarrolla interés
EL INTERES estimula el deseo de conocimiento
EL CONOCIMIENTO hace creer
EL CREER hace surgir el propósito
EL PROPOSITO genera entusiasmo y emoción
EL ENTUSIASMO exige acción
LA ACCION conlleva resultados
LOS RESULTADOS significan éxito

Actúe con entusiasmo

Cuando nos sentimos entusiasmados por lo que

hacemos, podemos ser más efectivos en cuanto a ejercer una influencia positiva sobre los demás. Demasiados de nosotros, al parecer, nos mostramos reacios "a ponerle el corazón" a las cosas que hacemos. Si creemos en nuestro propósito, y creemos que estamos avanzando hacia su consecución, nuestra emoción debe manifestarse. Una excelente forma de manifestar nuestra emoción es infundiendo vida a nuestras personas, a nuestras sonrisas, a nuestros apretones de manos, a nuestra forma de hablar y caminar. ¡Actúe como si estuviera vivo!

Ponga en práctica el slogan de Frank Bettger: "Actúe con entusiasmo y se entusiasmará". El solo hecho de actuar así no le hará entusiasta, pero es una buena manera de empezar. El actuar conociendo, creyendo y teniendo una actitud positiva genera entusiasmo.

Emerson dijo: "Nada grande se logra sin entusiasmo".

¿Cómo se reconoce una persona entusiasta cuando uno se topa con ella? No necesariamente tiene que ser gritona y escandalosa. No necesariamente tiene que colgarse del asta bandera y ponerse a echar porras, a pegar de aullidos y gritos. Desde luego, hay momentos para acciones así de efusivas. Son tácticas excelentes para infundir bríos a un equipo deportivo. Sin embargo, el verdadero entusiasmo proviene del hecho de sentirse colmado por la naturaleza misma de aquello que estamos desempeñando. ¡Creer en lo que hacemos y expresarlo en acción con emoción es el verdadero entusiasmo!

¿Cómo puede usted creer tan firmemente en lo que hace? A la mayoría de nosotros la experiencia nos ha demostrado que mientras más sabemos sobre un tema, más nos emociona. Uno de los primeros pasos es cavar más hondo y adquirir mayor conocimiento. Puede usted empezar por encontrar respuesta a ciertas preguntas. Un buen sitio donde comenzar esta búsqueda de conocimiento es su propio trabajo. Pregúntese primero: "¿Quién compra el producto o servicio con el que yo tengo que ver? ¿Por qué lo compran?"

Me gustaría señalar que, en mi opinión, hay sólo dos razones por las que la gente compra cosas. Una es resolver problemas y la otra darse gustos. Así que si usted pregunta: "¿Por qué hay quienes compran el producto que manufactura o vende mi compañía?", también pregúntese: "¿Qué problema resuelve?" o bien, "¿Cómo es que el comprador se da gusto con él?" Tómese su tiempo para escarbar lo más hondo que pueda. Conozca más acerca de su producto o servicio.

¿Le gustaría ser recogedor de basura? Como la mayoría de las personas probablemente responderían "no", utilicemos al recogedor de basura como ejemplo. ¿Cómo podría alguien entusiasmarse con el hecho de recoger basura? Si ocurre que éste es el trabajo que usted desempeña, deténgase y piense por unos instantes. ¿Cómo se vería su comunidad si nadie recogiera la basura? Se trataría de una situación bastante triste, ¿no es verdad?

Cualquiera que sea su trabajo, enorgullézcase de él. ¡Sepa y crea que usted es importante y que su trabajo es importante! ¡Es posible que no siempre reciba el reconocimiento que merece, pero sabrá en su fuero interno que está usted prestando un servicio valioso! ¡Con una creencia de este tipo en usted mismo y en su trabajo, usted podrá hacer y hará un mejor trabajo porque siente ·entusiasmo! ¡El entusiasmo es contagioso! ¡Provoquemos una epidemia!

Actúe como quien va a alguna parte y la gente le abrirá el paso

Hace algún tiempo, al ir caminando por una calle, advertí que una nutrida muchedumbre se había apiñado en cierto lugar. Mi curiosidad prevaleció y me acerqué a ver qué pasaba. Mido sólo 1.75, así que me era imposible ver sobre las cabezas de la gente que había delante de mí. Ninguna de las personas que estaban cerca de mí sabía qué estaba pasando.

Traté de abrirme paso entre la multitud pero no logré avanzar. Luego decidí intentar otra táctica, actuando como si fuera yo ALGUIEN. Empecé a dar palmaditas a la gente en los hombros, diciendo: "Permiso, por favor, soy Dutch Boling y quisiera pasar". La reacción de la mayoría de las personas fue ignorarme. Casi podía escuchar, por la expresión de sus rostros, que decían para sus adentros: "¡Y a mí qué!"

No me di por vencido, sino que seguí palmeando hombros y diciendo: "Permiso, por favor, soy Dutch

Le abrirán paso

Boling y quisiera pasar". Finalmente un hombrón que debe haber medido uno noventa de estatura y pesado unos 120 kilos gritó: "¡Háganse a un lado! ¡Dutch Boling tiene que pasar!" Cuando escucharon a aquel hombrón, la gente se abrió dejando un hueco por el que bien podría haber entrado un camión. Pude pasar hasta el mismo lugar de los hechos. Lo que vi fue una persona desmayada.

Si asumimos una actitud positiva ante las diversas situaciones que confrontamos, y si actuamos como quien se dirige a alguna parte, la gente nos ayudará a llegar. Se harán a un lado para dejarnos pasar.

¡No me malinterprete! No es aconsejable ser desagradable y tratar de pasar por encima de los demás. Sencillamente sea positivo en su forma de abordar a la gente, y al mismo tiempo sea amable y considerado. Debe usted tener su objetivo claramente definido ¡y vaya tras él!

Yo viajo mucho por los Estados Unidos, impartiendo seminarios y dando charlas. Me agradan mucho mis viajes porque se me presentan muchas oportunidades para observar a la gente en variadas circunstancias. Con frecuencia, en los aeropuertos, me queda algo de tiempo entre un vuelo y otro, aprovecho este tiempo y me he hecho el hábito, casi es un deporte, de observar a la gente. Mientras observo a la gente caminando y veo la expresión en los rostros, trato de adivinar cómo es cada persona. ¿Parece saber a dónde se dirige? ¿Tiene un propósito en la vida?

Los pilotos de avión se cuentan entre los grupos de

personas más interesantes. No recuerdo jamás haber visto a un piloto correr para llegar a tiempo al avión. Siempre parecen saber exactamente a dónde se dirigen. La mayoría de los pilotos caminan a un paso deliberadamente sosegado. La expresión de sus rostros revela absoluta confianza. Con esa clase de pilotos me gusta volar, y si alguna vez llego a ver un piloto que luzca turbado ¡Tomo otro avión!

"¿Cuál es la mejor manera de llegar a alguna parte?" La mejor respuesta a esta pregunta es vernos y actuar como quien sabe hacia dónde se dirige. Cuando lo hagamos, las demás personas se harán a un lado y nos ayudarán a llegar a nuestro lugar de destino.

Si quiere usted una cita, pídala

A cualquier que haya caído víctima de la fatuidad, que recuerde aquellas épocas en que hacía la corte. ¿Recuerda a aquella persona tan especial con quien usted deseaba desesperadamente tener una cita, pero que nunca tuvo el valor de invitarla a salir?

Oh, si tan sólo hubiera sabido entonces lo que ahora sé, ¡hubiera hecho tantas cosas de otra manera! Muchos de nosotros hemos hecho tal afirmación.

Permítame compartir con usted esta historia de mis años mozos.

¡Había en mi escuela una niña absolutamente adorable que se llamaba Ann! Creo firmemente que habría llegado a ser Señorita Estados Unidos si hubiera querido entrar al concurso. Cada vez que la veía los latidos de mi corazón parecían duplicarse. Todo mundo la admiraba. No solamente era preciosa, también era buena estudiante, tenía una personalidad maravillosa, participaba activamente en obras teatrales escolares y cantaba en el coro. En mi opinión, era, cabalmente, la estudiante ideal. En comparación con ella, yo me consideraba un tipo común y corriente.

Yo quería desesperadamente salir con ella, pero jamás hice acopio de valor suficiente para invitarla. Me horrorizaba pensar que me dijera que no. Un rechazo hubiera causado estragos a mi ego.

Habían pasado muchos años desde la última vez que viera a Ann cuando, un día, me la encontré en un evento público. Conversamos largo rato, recordando nuestros días de escuela, intercambiando información sobre nuestros compañeros de clase, y cosas por el estilo. Entonces le confesé a Ann cuán desesperadamente había yo querido salir con ella en aquellos días de estudiantes, pero que nunca había tenido valor suficiente para invitarla.

Me llevé uno de los impactos más tremendos que jamás he experimentado. Ann me dijo que ella también quería salir conmigo. ¿Puede usted imaginar mi sorpresa? ¿Escuché bien? ¿De veras dijo que ella también había querido salir conmigo? ¡No lo podía creer! Qué torpe había sido por no tener las agallas para invitar a salir a aquella hermosa niña. Recordé un par de líneas de "Maude Muller" de William Cullen Bryant:

De todas las palabras tristes salidas de la lengua o de la pluma, las más tristes son éstas: hubiera podido ser.

¡Me prometí a mí mismo que jamás volvería a no hacer cuando menos el intento!

Para mí ya es demasiado tarde para empezar a invitar a salir a hermosas damas. Sin embargo, cada que veo a un cliente potencial para ofrecerle mis servicios como orador, entrenador o guía de seminarios, puede estar usted seguro que le voy a proponer a dicha persona, compañía u organización, que me dé oportunidad de ayudarle a resolver algunos de sus problemas. Quién sabe, puede ser que también ellos quieran comprar lo que ofrezco.

En el área de ventas, el problema a que aludo se conoce como "Reticencia a llamar". Mucha gente, no sólo la que se dedica a las ventas, se siente reticente a llamar por temor a ser rechazada. Pero permítame decirle, amigo mío, vale la pena hacer el intento. Hoy mismo coja el teléfono y haga esa llamada. ¡Si hace usted muchas llamadas, hará muchas ventas! Es un juego de porcentajes.

Desde luego, habrá ocasiones en que nos rechacen. Si contamos con un producto o servicio valioso que puede ayudar a quien lo compra, vamos a vender, siempre y cuando nos deshagamos de esa reticencia a llamar y de nuestro miedo al rechazo. El hecho de superar esa "Reticencia a llamar" nos facilitará el demostrar nuestro entusiasmo.

La ventaja de "jugar en nuestra cancha"

"¡Un momento por favor! ¿Por qué debo andarle dando las gracias a la gente por haber hecho un buen trabajo? ¡Para eso le pagan!" Esta afirmación provino de uno de los gerentes que asistieron a un seminario a mi cargo. Replicó de ese modo cuando enfaticé la importancia de dar reconocimiento a la gente por trabajos bien hechos.

Cuando las personas predicen quién va a ganar un partido de futbol o basketball, ¿ha oído usted alguna vez la frase: "Llevan la ventaja de que van a jugar en su cancha"? Eso quiere decir que el equipo local cuenta con una gran muchedumbre de partidarios en sus butacas y que dichos partidarios estarán echándole porras a su equipo. Cada vez que alguien del equipo local hace algo bien, las porras de los aficionados crecen en intensidad. Los miembros del equipo local se encienden y se esfuerzan aún más por ganar el partido. Esa es la "ventaja de jugar uno en su propia cancha".

Debemos aprender a aplicar el principio de "la ventaja de jugar en nuestra propia cancha" a la vida diaria: en la escuela, en casa y en el lugar de trabajo. Cuando alguien haga algo bien, échele porras. Naturalmente que a veces es difícil encontrar motivos para echar porras, pero si la persona está poniendo esfuerzo de su parte, échele porras. Sírvase de "la ventaja de jugar en su propia cancha". ¡Los resultados pueden ser increíbles! Si a todos nos pagan por hacer un buen trabajo, ¿no haremos un trabajo aún mejor si tenemos a alguien que nos eche porras, es decir si llevamos "la ventaja de jugar en nuestra propia cancha"? Recientemente, una profesora de escuela me relató cuán bien funcionó el principio de "jugar en la propia cancha" con una de sus estudiantes.

Esta estudiante no se tomaba en serio el trabajo en la escuela y no le iba muy bien en sus estudios. Hasta entonces la profesora había tratado de que la estudiante estudiara más duro y de que fuera aplicada. La profesora le indicaba a la estudiante qué era lo que estaba haciendo mal y frecuentemente le decía: "Sé que puedes hacerlo mejor, lo único que necesitas es echarle más ganas". Desde luego que dicha afirmación se aplica a todos nosotros. Entonces la profesora decidió aplicar el principio de "la ventaja de jugar en cancha propia". En vez de dedicarse siempre a detectar los errores, empezó a hacer énfasis en los aciertos, y a felicitar a la estudiante, inclusive por pequeñas mejorías.

Aquella profesora llevó el principio de "la ventaja de jugar en cancha propia" aún más lejos. Telefoneó a los padres de la estudiante, no para informarles de mala conducta o malas notas, sino para decirles: "Su hija tiene cualidades muy especiales y sólo quería que supieran que tengo confianza en ella. Creo que está en camino de ser mejor estudiante. Hoy me entregó una tarea muy bien hecha. Se puede leer muy fácilmente su escritura".

Los padres le dijeron a su hija: "Llamó hoy tu maestra. No con malas noticias, sino buenas". Naturalmente, la estudiante quedó estupefacta por ese viraje. Empezó a ser aplicada y, ciertamente, llegó a ser mejor estudiante.

Le recomiendo desarrollar la positiva actitud de valerse del principio de "la ventaja de jugar en la propia cancha". Haga énfasis en las cosas que los demás están haciendo bien. ¡Sea un buen porrista!

Motívese usted mismo y a los demás

¿Cuál es la única manera de obtener algo de cualquier empresa? Primero es necesario que pongamos algo de nuestra parte. Una de mis amigas siempre tiene un jardín maravilloso, lleno de hermosas flores y suculentos vegetales. Su jardín es la envidia del vecindario, y muchos vecinos se preguntan por qué los jardines de ellos no se ven igual. ¿En qué estriba la diferencia? Parecería que todo mundo pone las mismas cosas en sus jardines, como por ejemplo semillas, fertilizante y agua, porque sin esos ingredientes no puede haber jardín. Pero mi amiga no se limita a esos ingredientes. Se levanta muy temprano todas las mañanas y se pasa dos o tres horas deshierbando, llevando a cabo un programa constante de fertilización, combatiendo hongos e insectos, regando cuando llueve poco.

Todo esto lo hace antes de empezar su día de trabajo.

¿Qué tiene que ver esto con la motivación? Mi amiga pone todo lo necesario en su jardín, porque está automotivada para producir lo mejor. Lo mismo ocurre con cualquier otra empresa, un negocio exitoso debe contar con una inversión inicial de capital y también una aportación constante de trabajo arduo y eficiente. Alguien debe ser motivado para hacer dicha aportación.

¿Cómo nos motivamos nosotros mismos y a los demás? Debemos hacer surgir el deseo de llevar a cabo el trabajo, de comprar un producto o servicio, o de aprender algo nuevo para ayudar a mejorar nuestro desempeño.

Los principales métodos de la motivación son la recompensa y el castigo. La recompensa se da si un objetivo es cumplido satisfactoriamente, y el castigo en caso contrario.

¿Cuál método es mejor? El incentivo de la recompensa funciona mejor si no hay temor a un castigo. La mayor parte de los trabajadores se desempeñan mejor si saben que su trabajo es seguro y, que además de la recompensa de su pago semanal, pueden recibir la recompensa de ascender o mejorar su estatus. Motivar consiste simplemente en crear deseos, en usted mismo o en los demás, agregando a una situación el o los factores que permiten lograr un resultado.

Cree un deseo. Cómase su sandía enfrente del cliente

A todos nos resulta conocido el viejo adagio: "Puedes llevar un caballo al agua, pero no puedes hacerlo que se la beba". Sin embargo podemos espolvorearle una poca de sal en su paja para que le den ganas de beber. Pues eso es lo que llamamos motivación.

En mis años de crianza, una de mis responsabilidades cada verano era vender sandías. Un día mi padre me hizo ver el hecho de que estaban construyéndose algunas casas aproximadamente a kilómetro y medio de la nuestra. Me dijo que los carpinteros, albañiles y plomeros podrían ser clientes.

Llené mi carrito de juguete con unas seis sandías y fui a ver a aquellos "buenos prospectos". Aquel caluroso día de agosto, el hecho de jalar ese carrito cargado, subiendo y bajando lomas por espacio de aproximadamente kilómetro y medio, era tarea ardua. Para cuando llegué a mi destino, me encontraba extenuado. Lleno de reticencia, me acerqué a los ajetreados señores. Mi monólogo para vender era algo así como: "Perdóneme que lo moleste, pero me imagino que no quiere usted comprar una sandía, ¿o sí?" Para mi decepción, nadie me compró sandías.

Después de que di toda la vuelta, preguntando sin éxito a cada uno de los trabajadores, empecé a arrastrar de regreso a casa, en aquel calor, mi carrito cargado. No me agradaba la idea. Decidí no llevar de regreso todas las sandías. Cuando menos, podría comerme una. Consideré el doble beneficio derivado de dicha decisión: la carga se haría más ligera y yo me refrescaría con una buena y jugosa sandía.

Escogí una de esas hermosas frutas de nuestra granja y la arrojé al piso para que "tronara". Con ambas manos escarbé la pulpa y me la comí, haciendo chasquear mis labios. ¡Hombre, qué buena estaba!

No lo planeé, pero aquel festín tuvo lugar ante la vista de la mayor parte de los trabajadores. Pronto empezaron a caminar hacia mí, viendo la sandía despanzurrada con fulgores en los ojos, y la boca haciéndoseles agua. En unos cuantos minutos había vendido todas las sandías e iba de regreso a casa.

¡Ahora el carrito estaba vacío y mi bolsillo lleno de dinero! ¡Y, por supuesto, también tenía lleno el estómago!

Exhibiendo mi producto mediante una puesta en escena y demostrando sus beneficios, creé un deseo en aquellos trabajadores. En aquel caluroso día de agosto, aprendí algo sobre la motivación y sobre cómo motivar a la gente. Si queremos que los demás hagan lo que queremos que hagan, ya sea comprar nuestros productos o servicios, o aceptar nuestras ideas, necesitamos descubrir qué es lo que los enciende. Debemos ver las cosas a través de los ojos de ellos y ponernos en sus zapatos. Cuando desarrollamos esa positiva actitud con respecto de la motivación, entonces podemos dedicarnos a crear en los demás el deseo por lo que queremos ofrecer.

La gelatina y el cemento se cuajan. También la mente

"Eres lo que comes". ¿Cuántas veces ha oído usted esa frase en relación con su cuerpo? ¿Sabía que su mente también actúa según aquello con que se le alimenta? ¿Con qué ha alimentado usted su mente últimamente?

Hace no mucho tiempo, iba yo manejando por la calle, y llegué detrás de un gran camión revolvedor de cemento, uno de los modelos nuevos, de los que descargan el cemento por la parte del frente. Todavía iba detrás del camión cuando tuvimos que detenernos en un semáforo en rojo. Mientras estaba ahí sentado viendo aquella gran máquina, me puse a pensar en cuánto dinero debía haberse invertido en aquel vehículo. Constaba de chasis de manufactura especial, revolvedora de cemento y otros aditamentos especiales. Llegué a la conclusión de que, muy probablemente, aquel armatoste tendría que haber costado no menos de 100 mil dólares. Cargado de mortero, con su gran revolvedora dando vueltas, mezclando cemento, piedra y agua, el camión iba rumbo a un solar en construcción.

De pronto pensé: "¿Qué pasaría si la revolvedora

dejara de girar? Por ejemplo, si se quedara sin gasolina, o se le apagara el motor y el chofer no pudiera volverlo a arrancar. Si la revolvedora no empezara a dar vueltas de nuevo al poco rato de haberse detenido, todo el mortero se pondría duro. Jamás nadie lograría sacarlo de la revolvedora. Se desperdiciaría el mortero y, más que probablemente, se echaría a perder un armatoste de 100 mil dólares.

¿Acaso no trabaja nuestra mente de la misma manera? ¿Y no es verdad que nuestra mente vale más que una docena de esos armatostes? Cuando paramos de estudiar y de aprender, nuestra mente se cuaja, igual que el mortero, y se hace inútil. Debemos utilizar nuestro entusiasmo para seguir aprendiendo, para que nuestras mentes sigan girando. Después de todo, tiene que durarnos para el resto de nuestros días.

Si no tuvistes educación, ne'citas saber hacer algo

Bob Murphey, un locutor conocido en todo el país, relata la historia de Cleve, un hombre que podía hacer prácticamente todo lo que se necesita hacer en una granja. Podía reparar tractores y otros equipos de granja, podía cuidar ganado y construir graneros. Incluso podía hacer reparaciones eléctricas y de plomería.

Un día Bob le dijo a Cleve: "Cleve, tú eres un hombre afortunado. Puedes hacer prácticamente cualquier cosa". Cleve le respondió: "Bueno, Mr. Murphey, la cosa es ésta: Si no tuvistes educación, ne'citas saber hacer algo."

Cuando oí por primera vez la historia de Cleve pensé que el mensaje importante que nos dejaba Cleve era que, aunque no tenga uno instrucción formal, cualquier persona que tenga el deseo puede aprender a "hacer algo". Esa historia me demuestra que, si lo deseamos, todos podemos volvernos ciudadanos valiosos y productivos.

Supongo que en transcurso de los años lo que Cleve hizo fue averiguar qué se necesitaba hacer, y hacía lo requerido. Estoy seguro de que en el proceso, Cleve cometió muchos errores, pero también es evidente que hizo muchas preguntas. La mayoría de sus preguntas deben haber girado en torno al "cómo" y al "qué"; por ejemplo: "¿Cómo puedo hacer este trabajo? ¿Qué tal si le intento de este modo? ¿Qué más se puede hacer para que funcione mejor?"

Si bien Cleve tuvo muy escasa instrucción formal, es obvio que aprendió de otros. Lo hizo observando y leyendo. No se necesita mucha educación para observar y leer. Yogi Berra, el famoso jugador y entrenador de beisbol, afirmó en una ocasión: "Es mucho lo que uno puede ver con nomás mirar".

Las oportunidades de ensanchar nuestro conocimiento son casi infinitas. Podemos aprender carpintería, mecánica automotriz, restauración doméstica, programación de computadoras e incontables destrezas más, sin jamás pisar un salón de clases. Volúmenes y volúmenes de dichos libros, escritos por expertos, nos ayudan a lograr prácticamente cualquier objetivo. La única guía necesaria es una credencial de una biblioteca y el deseo de saber el "cómo" y el "qué".

La instrucción no debe limitarse al salón de clases. Debe ser siempre uno de los elementos principales en nuestras vidas. Cuando dejamos de aprender, dejamos de crecer, nos convertimos en gente muy gris.

¿Cómo desarrollamos la actitud positiva de continuar aprendiendo? Todo lo que tenemos que hacer es aprender esta lección que nos ha enseñado Cleve, el granjero: "Si no tuvistes educación, ne'citas saber hacer algo".

Conserve afilada el hacha

¡No debemos dejar de aprender jamás! Henry Ford dijo: "Cualquiera que deja de aprender es un viejo, ya sea de veinte o de ochenta. Cualquiera que sigue aprendiendo se mantiene joven. Lo máximo en la vida es conservar la mente joven".

He aquí una vieja historia que vale la pena repetir. Dos hombres hacían leña. Uno de ellos parecía ser especialmente diestro. Trabajó todo el día sin respiros, en su afán por cortar más leña que el otro. El segundo leñador hacía una breve pausa cuando menos una vez por hora.

Al final del día, el hombre que había hecho las pausas, había cortado más leña que el que no se detuvo. El hombre con la menor cantidad de leña se hallaba confundido. Le preguntó al otro hombre: "¿Cómo es posible que tú hayas cortado más leña que yo? Todo el día estuviste haciendo pausas y yo no paré de trabajar, y sin embargo cortaste más leña que yo".

El hombre que había cortado más leña respondió: "Efectivamente, hice varias pausas durante el día, pero lo que tú no viste es que cada vez que descansaba, me ponía a afilar mi hacha".

Esa breve historia lleva un poderoso mensaje: Todos tenemos que darnos tiempo para "afilar nuestras hachas". Necesitamos estudiar constantemente y aprender más sobre nuestros trabajos, más sobre la forma en que otros hacen lo que nosotros queremos hacer.

Aproximadamente cuatro veces al año asisto a conferencias en la Asociación de Oradores de Carolina y en la Asociación Nacional de Oradores. Naturalmente que es divertido ir a sitios como Orlando, Phoenix y a las Montañas Blue Ridge de Carolina del Norte, pero esa no es la razón por la que asisto. Me doy tiempo para "afilar mi hacha", para aprender qué están haciendo otras personas con mi misma profesión, y cómo lo hacen. Luego puedo adaptar sus ideas a mi propio trabajo. No se necesita volver a inventar la rueda. Frecuentemente, lo único que tenemos que hacer es aceitar un poco el eje para hacer que la rueda gire más suave y fácilmente.

Toda mi vida he escuchado decir, como probablemente usted también, que nadie se ha muerto por trabajar duro. Eso puede muy bien ser verdad, pero es un hecho bien conocido que si combinamos el trabajar duro con el trabajar inteligentemente, llegaremos a la cúspide. La persona que mantiene afilada su hacha será la que cortará más leña con menor esfuerzo.

Reconozco que no es posible para todo mundo asistir a convenciones y conferencias relacionadas con su trabajo. Sin embargo, siempre hay alguien deseoso de ayudarnos en nuestros esfuerzos por mejorarnos nosotros mismos. Busque a esas personas y hágales preguntas. No olvide la librería y la biblioteca para consultar el libro que le ayudará a seguir aprendiendo.

Para desarrollar la positiva actitud que nos permite mejorar, recuerde las palabras de Henry Ford: "Cualquiera que deja de aprender es un viejo, ya sea de veinte o de ochenta".

Una buena idea sin acción no tiene valor

¿Es usted una de esas personas que, como yo, todos los días tenemos cuando menos una idea que vale un millón de dólares? Quiero que usted conozca una de las razones por las que aún no soy multimillonario.

Hace algunos años, solía enviar periódicamente varios cientos de cartas. Deseaba personalizar mi correspondencia lo más posible. En lugar de utilizar sobres que ya vienen con porte pagado, compraba estampillas y se las pegaba a las cartas, una por una. Mientras me aplicaba a esta tarea que me quitaba tanto tiempo, pensaba: "Debe haber una forma mejor de hacer esto". No se me ocurría una solución inmediata, de manera que seguí mojando cada timbre y pegándolo en las cartas, de una en una.

Cuando llegué a casa por la noche, con el cuello tieso y la lengua irritada, seguía pensando en el problema, sobre cómo simplificar aquel lento proceso. Cogí un lápiz y un block y empecé a diseñar una maquinita que mojara los timbres. Después de un par de horas de elucubraciones, ya había concebido el diseño básico. Todo lo que necesitaba era un rodillo que fuera haciendo pasar los timbres, que los mojara y que los cortara cada vez que uno presionara hacia abajo la máquina. Sintiéndome sumamente orgulloso de mí mismo, guardé mi dibujo en el cuaderno donde guardo mis ideas, pensando: "Ahora sí voy a estar listo para el siguiente envío de correspondencia".

Bueno, pues hasta ahí llegó mi idea. No hice nada por convertir en realidad aquella máquina. Varios años después, entré a mi oficina ¡y vi a mi secretaria poniendo timbres con mi máquina! Cuando le pregunté de dónde había sacado la máquina, me contestó: "¿¡No es sensacional!? Así puedo tener lista la correspondencia mucho más rápido que poniendo los timbres de uno en uno, y así usted va a ahorrar dinero, y me costó solamente veinte dólares en la papelería. La hubiera conseguido antes pero se les habían agotado y tuvieron que pedir más.¡Se les desaparecen de los anaqueles!"¡Caray, qué roja se me ha de haber puesto la cara! Habíamos gastado veinte dólares para comprar un artículo que me hubiera permitido ganar una fortuna si me hubiera tomado el tiempo necesario para convertirlo en realidad.

Si tiene usted una buena idea, no se aparte de ella hasta no haberla convertido en realidad o hasta que se haya demostrado que no tiene valor. Desarrolle la actitud positiva de actuar cuanto antes, en lugar de dejar las cosas para después. Ataque su idea desde todos los ángulos y recuerde: ¡las palabras clave son "entusiasmo" y "acción"!

Déle una oportunidad a su idea – F.W. Woolworth lo hizo

¿Cómo se convierte en realidad una idea? Si usted tiene una idea buena y práctica, vaya en pos de ella hasta convertirla en realidad. Eso fue lo que hizo F.W. Woolworth.

Cuenta la historia que F.W. Woolworth comenzó su

carrera como empleado en una ferretería. Los inventarios de la tienda incluían miles de dólares en artículos pasados de moda que raras veces eran solicitados por los clientes. Muchas de las tiendas dedicadas a la venta de menudeo tenían el mismo problema en aquel entonces. Woolworth fue lo suficientemente inteligente para darse cuenta que ninguna empresa en crecimiento podía permitirse el lujo de ir arrastrando un inventario que no se moviera. Se le ocurrió una idea para deshacerse de esta mercancía "muerta", para vender aquellos artículos lentos o estancados. Propuso instalar una mesa a mitad de ese tipo de mercancía.

El que hubieran rechazado su idea, desde luego, hizo que F.W. Woolworth se deprimiera, pero no por ello se detuvo. El creía en su idea, sintió que era sólida, y siguió adelante con ella. Encontró dónde podía comprar aquella mercancía de bajo precio, desarrolló una propuesta en lo que parecía ser un buen plan de negocios, y logró conseguir un buen apoyo financiero. Todos conocemos el resto de la historia. F.W. Woolworth se hizo multimillonario, dueño de una gran cadena de almacenes.

¿Por qué tuvo éxito F.W. Woolworth? ¡Tuvo lo que consideró una buena idea e hizo algo al respecto! Hay muchas otras historias de éxito semejantes a la de Woolworth. Desafortunadamente, también hay muchas grandes ideas que se han desperdiciado, sencillamente porque el que las concibió jamás hizo nada salvo soñar en lo que podría haber sido. ¡Si tiene usted una buena

Entusiasmo

idea, siga trabajando en ella con entusiasmo hasta que se convierta en realidad!

> ## Vale más perseverar que diferir las cosas

Recuerdo una vieja canción sobre "Mañana". El mensaje de la canción es que mañana es más que suficiente. En otras palabras, de acuerdo con esa canción, para hacer cualquier cosa mañana es lo bastante pronto. ¡Por supuesto que no puedo estar de acuerdo con esa filosofía! En algunas ocasiones, nada frecuentes, nos topamos con una tarea que no podemos hacer sino hasta mañana o mucho después, debido a circunstancias que no podemos controlar. ¡Cualquier cosa que valga la pena hacer, vale la pena hacerla ahora!

¿Por qué posponemos ciertos proyectos? ¿Por qué titubeamos para actuar cuanto antes? Frecuentemente diferimos la acción por temor. Tenemos miedo de no poder llevar a cabo exitosamente el objetivo. En algunas ocasiones sentimos que debemos esperar para obtener información adicional. A veces es pura flojera, pero la mayoría de la gente trata de justificar el hecho de posponer las cosas, convenciéndose de que alguna de las anteriores justificaciones es razón apropiada para posponer la acción.

Más vale perseverar

¿No hay razón válida para posponer para mañana lo que se puede hacer hoy? Sin embargo, yo conozco un jardinero que espera a que llegue el momento que él considera propicio para llevar a cabo diversas tareas. En su caso, me doy cuenta de la justificación de la espera, porque él se apega a un esquema que ha establecido estudiando las fases de la luna. Espera hasta que llega el momento adecuado para plantar, podar, cultivar, fertilizar, regar e inclusive cosechar. La diferencia entre aquel hombre y un desidioso, es que aquél pone manos a la obra en cuanto llega el momento oportuno.

El apegarse a un esquema no debe confundirse con la desidia. El no actuar en el momento adecuado es desidia, como lo es también el no seguir segundo a segundo lo que marca un electroencefalógrafo.

¿Cuándo la inactividad no es desidia? Un escritor que conozco con frecuencia sale al patio a "sentarse a ver crecer el pasto", pero jamás deja de pensar. Planea su siguiente artículo o relato, y no ceja en su empeño, pues su actividad más que física es mental. Henry Ford tenía algo que decir al respecto: "Jamás me quedo de pie si me puedo sentar, ni me siento si me puedo acostar". Para algún observador podría parecer que Henry Ford estaba posponiendo el hecho de afrontar tareas. Pero igual que mi amigo escritor, Ford nunca paraba de pensar. Ambos hombres actuaban "ahora", manifestándolo en llevar a cabo una planeación necesaria. Es muy posible que Ford estuviera pensando en mañana, pero no en el sentido de retrasar la acción hasta mañana. El perseveró en la carrera de su elección, ideando métodos para hacer que su sueño se convirtiera en realidad y, cuando lo logró, construyó un mejor mañana para todos nosotros.

"¿Es fatal dejar las cosas para después?" Esta pregunta fue escrita por Bettye Coleman Mynatt en un artículo aparecido en una publicación de una organización profesional. Esta contiene información y "encendedores del pensamiento" que me son de gran utilidad en mi búsqueda de material motivacional, ¿pero, acaso los pensamientos sobre el hecho de dejar las cosas para después producen inspiración motivacional? La señora Mynatt responde su pregunta.

"El dejar las cosas para después es problemático, pero raras veces mortal. Es el comportamiento, en todo caso, lo que puede destruir mucho de nuestro tiempo y apagar nuestra alegría. El dejar las cosas para después ha sido llamado el arte de mantenerse al día con el pasado. Para algunos de nosotros eso equivale a mantenerse al día con la semana pasada, el mes pasado y –agrega– ¡el año pasado! Generalmente nos las arreglamos para hacernos cargo de las cosas urgentes, pero frecuentemente acabamos difiriendo lo que puede ser importante para nosotros y aquellos que nos interesan. Así como la alegría se alimenta de la alegría y la depresión se alimenta de la depresión, el hecho de dejar las cosas para después se nutre de sí mismo. Mientras más permitimos que suceda, más profundamente opera en todo lo que hacemos.

"El dejar las cosas para después comienza en la infancia. Crecemos y jamás nos damos cuenta de que este malhadado hábito, que ha penetrado hondamente en nuestro ser, es un hábito creado por nosotros mismos, que nosotros mismos podemos romper.

"Pensar en grande es una magnífica forma de vivir, pero al lidiar con el hábito de dejar las cosas para después, es mejor pensar en pequeño. Empiece con dos palabritas: ¡Hazlo Ahora! Cada vez que su mente diga 'después', contraataque con la mágica fórmula de las dos palabras, ¡Hazlo Ahora!, y luego ¡hágalo!"

Sus comentarios me alentaron para añadir mis propias ideas sobre el hecho de dejar las cosas para después. Me parece que la única manera de evitar semejante comportamiento es organizándose. Sencillamente necesito darme tiempo para pensar y planear, y me doy cuenta de que lo hago mejor en las primeras horas de la mañana. A otras personas les parece que reservar unas cuantas horas por semana, conforme a un programa sistemático, es de la mayor utilidad para organizarse.

"Una de las mayores satisfacciones de la vida se deriva de hacer las cosas y saber que las hemos hecho tan bien como nuestra capacidad nos lo permite", dice Frank Bettger en su libro Success in Selling. "Si tiene usted problemas para organizarse, si quiere usted incrementar su capacidad de pensamiento, y hacer las cosas en orden de importancia, recuerde que sólo hay una forma: tómese más tiempo para pensar y para hacer las cosas en orden de importancia. Aparte un día para que sea el 'día para organizarse', o establezca cierto periodo cada semana. Todo el secreto de liberarse de la angustia de no tener suficiente tiempo deriva no de trabajar más horas, sino de la adecuada planeación del tiempo".

¿No le gustaría desarrollar la positiva actitud de hacer las cosas ahora mismo? Si a usted no le gusta ser una persona que deja las cosas para después, la respuesta está en esta palabra: ¡organícese!

Se te van a perder algunas canicas si las avientas

Suponga que mete la mano en una bolsa llena de canicas y saca un puñado de ellas. Arrójelas por el suelo y luego cuéntelas.

Lo más probable es que se tarde varios minutos para encontrarlas, e incluso una vez que lo haya hecho no estará usted completamente seguro de haber encontrado todas las canicas. Algunas se quedarán debajo del sofá. Otras se irán por atrás de la puerta, otras caerán al basurero, o inclusive acabarán en otro cuarto. La única manera de estar seguro sería desmantelar el cuarto, y nada más imagínese cuánto tiempo le tomaría semejante actividad.

Saque de la bolsa otro puñado de canicas. Esta vez colóquelas de una en una, en hilera sobre el piso o sobre la mesa. Ahora puede contarlas en cuestión de segundos y sabrá con toda certeza cuántas canicas tenía en la mano. ¿Ve usted cuán fácil es sacar beneficios del hecho de ser organizado?

Optimismo: una forma de vida

¿Qué característica es universal en toda la gente de éxito? No hablo de la gente que sólo tiene mucho dinero y una buena casa. Me refiero a las personas que son verdaderamente felices, que han aprendido a verle el lado bueno a todo y a transformar la adversidad en éxito mediante una actitud positiva. Algunas de estas personas pueden ser ricas, otras podríamos considerarlas pobres, pero todas tienen en común una característica vital: el optimismo.

Olvídese de aquellos sujetos que ven el mundo a través de un cristal color de rosa y que nunca parecen tener problemas. Los optimistas viven del lado soleado de la calle, es verdad, pero reconocen los problemas que enfrentan. La gran diferencia es que ven los problemas como cosas a resolver, no como cosas que les habrán de abrumar.

Nadie puede creer que alguien pueda batir sus brazos y empezar a volar. Los pesimistas se resignan a vivir en el suelo. Pero una gran cantidad de optimistas, incluso desde los lejanos días de la antigua Grecia, han visto al hombre volar sobre la tierra y sobre las nubes, incluso hacia las estrellas. Los hermanos Wright fueron optimistas en grado sumo al tener fe para construir su artefacto y volarlo en Kitty Hawk, Carolina del Norte. Sabían que los seres humanos podían volar, y no se resignaban a estar anclados en el suelo.

Fíjese en lo que ha sucedido desde aquel día de 1903 cuando en la playa barrida por el viento, en Kitty Hawk, Orville y Wilbur Wright demostraron más allá de cualquier duda que los seres humanos efectivamente podían volar. El ser humano ha caminado sobre la luna. Si bien no hemos volado nosotros mismos más allá de la luna, nuestros artefactos han viajado a planetas distantes y algunos de ellos están dirigidos hacia las estrellas que hay mucho más allá. Y piense en la manera que el hecho de volar ha influido en nuestra vida cotidiana. Podemos visitar lugares distantes en una fracción del tiempo que haríamos caminando, a caballo, en automóvil, o viajando por tren o por barco. En Carolina del Sur podemos comprar salmón fresco que ha llegado en avión desde Alaska. Todo ello gracias a que, desde tiempos inmemoriales ¡los optimistas creían que el ser humano podía volar!

Piense como ganador y sea uno de ellos

Una de las experiencias más gratificantes que jamás

haya tenido fue cuando concurrí en calidad de juez a un concurso de oratoria auspiciado por el Club de Optimistas de Carolina del Sur. El tema del concurso era: "El optimismo: una forma de vida". Entre los participantes se contaban 18 estudiantes, nueve chicos y nueve chicas. Cada uno de aquellos jóvenes había triunfado a nivel local y habían llegado a Columbia para concursar por el premio de Carolina del Sur, a nivel estatal. Cada uno de los competidores había preparado su propia plática. Todos enfatizaron la importancia del hecho de ser optimistas, y todas las pláticas fueron buenas.

Uno de los oradores era ciego, y compartió con nosotros parte de sus experiencias. Nos relató cuán frustrante había sido para él no poder hacer lo que otros jóvenes podían hacer. Nos habló de un día que llegó a su casa, llorando y a la vez furioso. Dijo que se sentía irritado por no poder andar en bicicleta como sus amigos.

Relató que su abuela le hizo sentarse y le dirigió unas palabras de todo corazón. La substancia de dichas palabras fue: "Piensa en las cosas buenas que tienes a tu favor. Claro que hay ciertas cosas que no puedes hacer, pero piensa en las cosas que sí puedes hacer. Debes de ser optimista. Lo único que te limita son tus pensamientos. Si piensas que eres un perdedor, vas a ser un perdedor. Si piensas que eres un ganador, vas a ser un ganador".

El joven agregó que ahora podía andar en bicicleta y que tenía grandes planes para su futuro, a pesar de ser ciego.

Entusiasmo

¡Qué gran inspiración fue aquello para mí y para todos los demás que escucharon la historia! Si aquel joven, con la desventaja de la ceguera, puede sentirse alegre y optimista con respecto del futuro, ¿no podemos sentirnos igual usted y yo? Recordemos el mensaje de su abuela: "Si piensas que eres un perdedor, vas a ser un perdedor. Si piensas que eres un ganador, vas a ser un ganador".

Dije que para mí había sido una gran experiencia escuchar aquellas pláticas. También fue una experiencia sumamente difícil y frustrante, porque nosotros, los tres jueces, teníamos que declarar ganadores a un chico y una chica, ¡y todos los demás oradores eran ganadores también!

Uno de ellos relató una historia sobre un niño que iba caminando en la calle con un solo zapato. Alguien le preguntó: "¿Perdiste un zapato?" La respuesta del niño fue: "No, no perdí un zapato. Encontré uno y espero encontrar otro muy pronto".

Mire hacia el futuro

Un joven silbaba alegremente mientras reabastecía la máquina automática de refrescos en el área de recreo de un asilo. En aquella ocasión se acercó una ancianita acompañada de la persona que le ayudaba a caminar.

Miró de arriba abajo al joven y dijo: "Tienes toda la pinta de mi tercer marido". El joven le preguntó: "¿Y cuántos maridos ha tenido usted?" Ella le respondió: "Dos". ¡A eso le llamo yo mirar hacia el futuro!

El reverendo Dr. Glenn Waldrop relata esta historia acerca de su madre, quien tenía más de 90 años y vivía sola. Un día el reverendo Waldrop recibió una llamada telefónica de ella. Ella le dijo, frenéticamente: "Tienes que venir inmediatamente. Ya se me van a acabar las ollas y las cacerolas".

"¿Cómo que se te van a acabar las ollas y las cacerolas?"

"No hagas tantas preguntas. Tengo un problema muy serio ¡Ven para acá!"

Llovía a cántaros, pero el reverendo Waldrop se subió a su auto y se apresuró a ver a su madre. Cuando llegó, descubrió que el techo de la casa de su madre goteaba, y que ella se valía de las ollas y cacerolas para juntar el agua. De inmediato se dio cuenta de que la casa necesitaba techo nuevo y al día siguiente habló con un techador. Después de que el nuevo techo quedó instalado, la madre del reverendo Waldrop puso en tela de juicio la calidad del mismo. Le habían dicho que el techo tenía 20 años de garantía.

"¿Nomás eso? ¿Nomás 20 años?", preguntó ella.

El reverendo Waldrop le dijo: "Pero, madre, ahorita ya tienes más de 90 años. ¿Qué te preocupa que un techo con veinte años de garantía no vaya a durar lo suficiente?"

"Bueno, ya sé que no voy a durar otros veinte años",

respondió ella, "Pero quiero que la próxima familia que viva ahí tenga un buen techo".

Cuando un granjero siembra un campo en la primavera, está mirando con optimismo hacia la cosecha que habrá en el futuro otoño. La prolongada sequía que hubo en Carolina del Sur durante el verano de 1986 casi marchitó aquel sueño para muchos de los granjeros. Emplearon buena semilla, sembraron en el momento apropiado, araron y labraron la tierra en el momento oportuno, pero la lluvia no llegó y muchos plantíos se marchitaron. Durante aquel terrible verano de 1986. Sin embargo, todavía podía uno ver retazos de verde, cosechas saludables aquí y allá.

¿Por qué algunas de las plantaciones estaban saludables y prosperaban en tanto que los campos vecinos estaban secándose debido a la falta de lluvia? Aquellos campos estaban verdes y en crecimiento porque algunos de los granjeros moderaron su optimismo por medio del sentido común: miraron hacia el futuro, más allá de la cosecha del siguiente otoño. Si bien aquella sequía experimentada ese verano no fue presagiada ni por el más pesimista de los agoreros, aquellos granjeros que miraron hacia el futuro se prepararon para el embate de una posible sequía. Construyeron estanques de riego o cavaron pozos profundos hasta llegar a corrientes subterráneas para asegurar que sus plantíos contaran con el líquido vital.

Hace algunos años le pregunté a un granjero amigo mío: "¿Para qué estás construyendo un sistema de riego en un año tan lluvioso?" Optimista, pero provisto de verdadero sentido común, me respondió: "Espero nunca necesitarlo, pero uno nunca sabe. Si alguna vez lo llego a necesitar, o si mis hijos lo llegan a necesitar, ahí va a estar".

Nunca es un error prepararse para cualquier posibilidad. Lo hacemos sin pensar al respecto. Lo hacemos cuando ponemos un poco más de impermeabilizante del que necesita nuestra casa. Lo hacemos cuando, sin egoísmos, ahorramos una pequeña parte de nuestros ingresos en previsión de una posible sequía. Tales iniciativas nos ayudan a fortalecer nuestra actitud positiva de que podremos lidiar con cualquier cosa que se nos cruce por enfrente.

Podemos ver mucho con imaginación

¿Por qué es que algunas personas parecen triunfar en todo lo que hacen, mientras que otras que tienen exactamente las mismas posibilidades nunca pasan de pensar en tener éxito? Un hombre sabio lo expone de la siguiente manera: "Un pesimista ve las oportunidades como obstáculos, en tanto que un optimista ve los obstáculos como oportunidades".

Una pareja que conozco llegó a la edad de retirarse y,

al contar con un ingreso mucho menor, estaban buscando una casa más pequeña para reducir gastos.
Como sus cinco hijos ya habían crecido y ya se habían
casado, ya no necesitaban una casa con cinco recámaras.
También querían que la casa fuera de un piso. Se
pusieron en contacto con un corredor de bienes raíces
para vender su casa grande y encontrar otra más
pequeña en una bonita colonia.

Lo primero que el corredor de bienes raíces les dijo a
Bob y a Mary fue que deberían conseguirse un
condominio, uno con buena seguridad y buen mantenimiento. Bob y Mary no querían un condominio. Querían
tener un patio que ellos mismos pudieran cuidar. A
Mary le gustaba tener plantas, y Bob siempre había
tenido un jardín con legumbres. Una tarde, el corredor
llevó a Bob y a Mary a ver la casa que había encontrado,
diciéndoles repetidamente que quizá no les gustara.

La casa estaba descuidada y parecía que nadie había
vivido en ella en más de un año. La pintura se había
resquebrajado y estaba pelándose. El patio del frente
estaba casi desnudo, en lugar de césped crecían sobre
él hierbas y una azalea solitaria. El patio trasero era un
revoltijo enmarañado de hierbas y pasto. No mucha
gente hubiera comprado aquella casa, pero a Bob y a
Mary les encantó. No vieron obstáculos. Vieron la
oportunidad de transformar la casa, que básicamente
era sólida, en una atractiva residencia. Mary vio la
oportunidad de hacer un prado verde y parejito, adornado
con flores y arbustos. Bob vio el patio de atrás y dijo: "Si
así crecen el pasto y las hierbas, ¡imagínate cómo se

van a dar los frijoles y el maíz!" Vio la oportunidad de tener un jardín de legumbres mejor y más grande que nunca.

Ambos sabían que habría de necesitarse mucho trabajo arduo para pintar la casa y para efectuar las reparaciones menores que hacían falta. Sabían que se iba a requerir de mucho trabajo para empezar el pradito, para preparar las camas para las flores, y para plantar bulbos y arbustos. Sabían que iba a necesitarse mucho trabajo arduo para quitar el pasto y la hierba a fin de hacer lugar para un jardín de legumbres en el patio de atrás, pero no pensaron que dicho trabajo fuera un obstáculo. Solamente pensaron en la oportunidad de tener lo que querían, de hacer lo que les gustaba hacer.

Desafortunadamente, demasiadas personas no se muestran muy ansiosas por entrar en una situación donde sólo los obstáculos son visibles. Necesitamos ver más allá de los obstáculos para encontrar la oportunidad escondida detrás de cada traba que nos sale al camino. ¿Por qué? Porque la actitud del optimismo nos ayudará a desplazarnos, quizá lenta pero ciertamente, hacia el éxito. La actitud pesimista lo único que logra es mantenernos varados.

Tolere los abusos y será un perdedor

Ya desde hace algún tiempo, ha sido para mí un placer

dirigir sesiones de entrenamiento en las materias de habilidad para las relaciones humanas y oratoria eficaz para el Departamento Correccional de Carolina del Sur. Para aprender lo más posible acerca de los problemas con que son confrontados quienes participan en estas sesiones de entrenamiento, visité la Institución Correccional Central (ICC), una de las prisiones de máxima seguridad de Carolina del Sur. La ICC alberga a aquellos reos que han sido sentenciados a muerte, y la cámara de ejecuciones del Estado está situada ahí.

Después de visitar el lugar, entrevisté al guardia y le hice diversas preguntas sobre su trabajo y sobre los reos.

Una de las preguntas que le hice fue: "¿Cuál es la principal razón de que estas personas se conviertan en criminales y, en muchos casos, en asesinos?"

La respuesta del guardia fue: "Más del 90 por ciento de estos reos sufrieron abusos de niños, abusos físicos y emocionales.

"No hubo nadie que les hiciera saber que eran importantes, nadie mostró jamás preocupación o interés en su bienestar. El resultado fue que cada una de estas personas, a su modo, trataron de desquitarse".

Demasiadas personas que sufren de abusos o abandono acaban en prisión. Pero no necesariamente tiene que ser así.

A fin de cuentas, depende del individuo. El individuo escoge el derrotero de su vida. Lea usted y evalúe el siguiente relato, puesto que sirve para demostrar mi punto de vista.

Rechace el abuso y sea un ganador

A la edad de seis años un primo adolescente acompañaba a Mary Ann a su recámara. Ahí, ella fue ultrajada sexualmente. Su tío entró a la recámara y vio lo que estaba ocurriendo. Para hacer aún peor la tragedia, el tío no puso alto a aquella terrible situación. Por el contrario, se dio media vuelta, salió de la habitación y cerró la puerta tras de sí, como si el hecho de dejar de ver aquello absolviera a su hijo de toda culpa. Peor aún, la indiferencia del padre de hecho permitió al hijo seguir ultrajando sexualmente a Mary Ann en los años siguientes.

Para complicar aún más el horror de su situación, Mary Ann fue violada por su padrastro a los 12 años. La madre de Mary Ann se enteró de ello. Sin embargo no hizo nada al respecto, con lo cual tácitamente dio permiso al padrastro de que siguiera ultrajando sexualmente a Mary Ann para procurarse placer.

Mary Ann estaba desesperada por recurrir a alguien. Para escapar del terrible abuso de que estaba siendo objeto en su casa, Mary Ann corrió a casa de los vecinos y les refirió el sufrimiento que estaba viviendo. Aquellos vecinos tenían una casa grande y bonita, bien amueblada y construida sobre un extenso terreno. En el patio había varios automóviles de lujo.

Los nuevos amigos de Mary Ann le ofrecieron alivio y protección; era la primera vez que, en muchos años, alguien había mostrado tenerle consideración. Mary Ann aprovechó aquella cálida hospitalidad y los iba a visitar a su casa regularmente. Ellos eran buenos y amables con Mary Ann. Cuando ella creció, le enseñaron a manejar.

Cuando Mary Ann se hizo más diestra en el manejo, los vecinos le pidieron que condujera uno de los lujosos automóviles a los suburbios de una gran ciudad. Lo que tenía que hacer era fácil. Tenía que estacionar el auto en determinado lugar, irse a dar la vuelta a pie por espacio de dos horas, regresar al auto y manejar de regreso a casa. Esta rutina se prolongó durante mucho tiempo. Más tarde, Mary Ann habría de enterarse de que había estado transportando mercancía ilegal para un narcotraficante.

Debido a su pasado, y a la gente con la que vivía y convivía, Mary Ann se convirtió en integrante de la pandilla callejera. Ahí desarrolló algunas destrezas para pelear y, como parte de sus enseres habituales, llevaba una navaja de muelle. En una ocasión resultó víctima en una pelea con cuchillos y fue abandonada en la calle, supuestamente muerta.

Durante aquellos años de su crecimiento, Mary Ann encontró cierto alivio en ir a la escuela. Se dio cuenta de que cuando hacía un buen trabajo en la escuela, el maestro le brindaba especial atención. Dicho reconocimiento motivó a Mary Ann a estudiar y a sobresalir. Desafortunadamente su fama de pandillera era bien conocida. El día de la graduación de su generación de preparatoria, el director de la escuela se le acercó y le dijo: "Mary Ann, no queremos que vayas a la ceremonia de graduación. Por eso es que vine por tu toga y tu birrete". Aunque ella no tuvo la dicha de caminar por el pasillo para recibir su diploma junto con sus compañeros de clase, Mary Ann sí fue a la ceremonia, y se quedó sentada hasta atrás del auditorio.

Cuando cumplió los 17, Mary Ann decidió que ya era suficiente y levantó el vuelo. Se salió de su casa y, desde entonces, no ha sabido nada de ningún miembro de su familia.

Mary Ann sabía que había sido buena estudiante, desde el punto de vista académico, y llegó a la conclusión de que, si quería borrar alguna vez su pasado, y salir adelante por cuenta propia, tendría que forjarse una buena carrera. En una ciudad muy lejos de casa, sin dinero y sin amigos, encontró el modo de inscribirse en una universidad. No fue fácil, pero Mary Ann estaba decidida a tener éxito. Trabajando y estudiando logró terminar su carrera. Actualmente, Mary Ann detenta una posición de alta responsabilidad en una corporación muy importante.

Como es el caso en muchos casos semejantes, Mary Ann podría haberse convertido en miembro del hampa, en una criminal redomada. Tenía el entrenamiento necesario para esa clase de vida. Pero le dio la espalda a esa forma de vida. Mary Ann llegó a la conclusión de que existía para ella una mejor alternativa.

¿Qué fue lo que hizo que Mary Ann cambiara y que encaminara su vida en una dirección más positiva? Es cierto que había recibido aliento por parte de uno o dos de sus profesores, quienes veían en ella cualidades para desarrollarse y alcanzar grandes logros, y que la animaron. Pero Mary Ann decidió por sí sola borrar su terrible pasado y llegar a ser alguien. Su actitud fue y es:

Si ha de ser, depende de mí.

Hágalo a pesar de las "barridas"

¿Alguna vez alguien "lo ha barrido" con severas críticas? La mayoría de nosotros reaccionamos de manera negativa a las críticas, y frecuentemente el efecto que causan a nuestra autoestima es prolongado. Las críticas severas, sin embargo, pueden transformarse en un desafío. Me gustaría relatarle una historia que contaron en mi clase llamada "Manera de Hablar".

David se crió en la pobreza. Describió a la clase las condiciones económicas que vivió en su niñez: "Allá al principio de los años cincuentas, mi familia se cambiaba frecuentemente de un trabajo a otro, de una ciudad a otra, de un departamento a otro. No había opulencia en ningún sentido. Habrían de pasar muchos años antes de que llegaran zapatos nuevos cuando los viejos aún tenían suelas, o que la carne que se servía en la cena no fuera la mitad sebo, o que Santa Clós se quedara suficiente rato para dejar más de dos regalos.

"Para mí la escuela no fue fácil. Siempre estaba

tratando de acostumbrarme a los nuevos compañeros de clase y a libros de texto que no conocía. En aquellos días, las escuelas primarias de Pennsylvania hacían que los días primeros de mes fueran muy especiales para mí. Cada mes le daban a cada estudiante un lápiz y un block de quince por veinte. A mí tenían que durarme un mes el block y el lápiz, porque no teníamos dinero para comprar útiles escolares.

"Hubo un mes que se me terminaron todas las hojas de mi block, y la maestra nos pidió que hiciéramos una tarea de matemáticas. Yo andaba mal en casi todas las materias pero me iba muy bien en matemáticas. No tenía papel en qué hacer aquella tarea, pero sabía que tenía que hacerla aquella noche y entregarla a la mañana siguiente. Encontré en el cesto la envoltura de papel de una hogaza de pan. Con cuidado rasgué la envoltura, hice una hoja de papel y sobre ella terminé mi tarea.

"Al día siguiente, orgullosamente entregué mi tarea, cuidando de no dejar que los otros chicos vieran en qué la había hecho. Más tarde, aquel día, la maestra me dijo que me quedara cuando las clases hubieran terminado. Al final del día, me senté delante de su escritorio y, de pie frente a mí, me mostró mi tarea. Me dijo que le había disgustado recibir un trabajo como ese. Siguió regañándome, luego me apuntó con su dedo y sombríamente me dijo: 'Jovencito, tú nunca vas a valer nada'. Me dejó aplastado con sus duras críticas. La caminata de regreso aquel día, se me hizo larga, muy larga, pero ciertamente me dio tiempo para pensar. Para cuando llegué a casa, había decidido firmemente que algún día habría de valer. Me hice el propósito de llegar a la universidad. Jamás le relaté a nadie aquella dolorosa experiencia, pero, en mis años de crianza, siempre que encaraba un desafío recordaba aquella ocasión. Aquel incidente continuamente me infundía fuerzas y seguramente fue una fuerza determinante para lograr mi meta, que me había establecido aquel día en el tercer año de primaria. No solamente terminé la carrera, sino que obtuve un posgrado en matemáticas".

Actualmente, David ostenta el título de gerente ejecutivo de su organización. Con la actitud mental correcta, aun las experiencias más negativas pueden ser utilizadas como un desafío y por medio de ellas lograr resultados notables. Como puede usted ver ¡las actitudes realmente marcan la diferencia!

Si no le agrada, de todos modos hágalo, así hacen los ganadores, así hacen los héroes

---

¿Por qué algunos son ganadores y otros perdedores? Porque los ganadores hacen cosas que a los perdedores no les gusta hacer. ¿A mí qué me gusta hacer? Me gusta jugar golf. Me gusta ver televisión. Me gusta estar sentado "cotorreando el punto". Lo malo es que todavía no he hallado el modo de que me paguen por hacer esas cosas que verdaderamente me gusta hacer. He aprendido, a veces a la mala, que si deseo lograr mis metas, hay ciertas cosas que no me gustan que de todos modos hay que hacer.

Por ejemplo, para mí es una tarea enfadosa sentarme a escribir las diversas historias de este libro. Soy mejor para hablar, que ni qué. Cuando me surge una idea o cuando recuerdo una historia que venga al caso, empiezo a hacer notas. Luego de organizar mis pensamientos, me siento delante de la máquina de escribir y escribo la historia. Después del primer intento, del segundo, del tercero, me sigue pareciendo que jamás podré redactar la historia de una manera que me agrade a mí y, naturalmente, al lector. Realmente se trata de una tarea enfadosa, pero sé que si quiero escribir este libro, es absolutamente necesario que haga las cosas que no me gusta hacer. Para cada uno de los párrafos de este libro, puede usted estar seguro de que cuando menos una hora he dedicado a su estudio, organización y preparación. Si existe una meta u objetivo que queremos lograr, es necesario que hagamos las cosas que no nos agradan a fin de alcanzar lo que deseamos alcanzar.

¿Alguna vez ha hablado usted con un atleta acerca de lo que tiene que hacer para ser bueno en el deporte de su especialidad? Poco después de las últimas Olimpiadas, al entrevistar a varios de los ganadores, las preguntas más frecuentes estaban relacionadas con los preparativos para la competencia. Para la pregunta "¿Cuánto entrena usted?" no era raro escuchar una respuesta como: "Unas ocho horas al día". Una pregunta parecida era: "¿Cuánto tiempo lleva usted preparándose para las Olimpiadas?" En la mayoría de los casos la respuesta era: "Varios años".

¿Es divertido trabajar así de duro? La mayor parte del tiempo es una tarea enfadosa. Pero la mayoría de las personas que logran cosas saben que es el precio que hay que pagar sin chistar.

Los ganadores hacen las cosas que son necesarias, no necesariamente las cosas que les gusta hacer. ¿Le gustaría ser un ganador en todo lo que haga? Si es así, debe usted aceptar el hecho de que esas tareas que no le agradan deben hacerse, y ponga manos a la obra para hacerlas, siempre mirando hacia el futuro, hacia el resultado final.

Benjamín Franklin dijo: "Resuelva a fin de ejecutar lo que debe; sin falta, ejecute lo que ha resuelto". Siga el consejo de aquel hombre sabio y desarrolle la positiva actitud de hacer primero las tareas enfadosas pero necesarias.

Anótelo y consúltelo

¿Qué tan seguido olvida usted cosas importantes? ¿Alguna vez se hace preguntas como: "Quedé de hablarle a Juan o a o Pedro?"; "La semana pasada fui a la junta y me dijeron que hiciera algo, ¿pero qué cosa era? ¿y para cuándo tenía que hacerla?" No se sienta mal si se le hacen conocidas estas preguntas. ¡Está usted muy bien acompañado!

Albert Einstein es considerado uno de los seres humanos más brillantes e innovadores que jamás hayan existido. Un día, Einstein y su asistente se quedaron a trabajar hasta tarde. El asistente se ofreció a llamar a la casera de Einstein para informarle que iba a llegar tarde a cenar pero Einstein no se acordaba del número de memoria. Tuvo que buscarlo en su libreta. El asistente no podía creer que el gran genio no pudiera acordarse de su propio teléfono. Einstein explicó que jamás intentaba recordar nada que pudiera consultar.

Muchas personas se enorgullecen de su buena memoria. Pero el hecho de que Einstein prefiriera no recordar incontables detalles, es una moraleja para todos. Incluso la más grande de las mentes tiene límites. Mientras más podamos reducir la carga bruta de información que lleva nuestra mente, más horas–cerebro y poder mental podremos dedicar a las tareas fundamentales del pensamiento, análisis, planeación y toma de decisiones que afectan profundamente nuestras existencias.

El mensaje es que, igual que Einstein, tampoco usted y yo podemos darnos el lujo de olvidar detalles. No podemos estar plenamente confiados en un plan de una estrategia a cinco años, si al mismo tiempo andamos preguntándonos: "¿Le quedé de hablar a Juan o a Pedro?" Si dejamos que nuestros compromisos telefónicos y otros detalles se nos pasen sin cumplirlos, estamos en aprietos. En poco tiempo se nos hará la fama de poco confiables. Cuántas veces ha oído usted decir acerca de alguien: "No puedes depender de él. Nunca se acuerda de los detalles importantes".

¿Cuál es la respuesta? La respuesta estriba en la acción, en el sencillo acto de anotar los detalles que no debemos olvidar. Debemos anotarlos de manera sistemática y organizada. Las agendas son una de las herramientas más valiosas de que podemos disponer. Las agendas cuentan con espacios para anotar cosas que debemos hacer, así como los números telefónicos y direcciones que utilizamos con mayor frecuencia. De esta manera no tenemos que confundir nuestras mentes innecesariamente con detalles.

Desarrolle la positiva actitud de poner manos a la obra cuando tenga que recordar esos detalles. Anótelos. Si ese sistema le funcionaba a Einstein, ¿no le parece sensato que también pueda funcionarnos a nosotros?

EL AFECTO

Por qué algunas personas parecen ser más populares y tener más amigos que los demás? ¿Alrededor de qué clase de personas se agrupan los demás,
dispuestos a echarles la mano siempre que lo necesiten?
La respuesta es muy sencilla. La gente quiere a quien
la quiere. ¡La gente está con quien se preocupa por
ellos! Y es muy importante que dicho interés y afecto
sean genuinos. Si alguien trata de fingir que se preocupa
por otra persona, cuando no se trata sino de una actua-
ción encaminada a obtener beneficios personales, dicha
persona es menos respetada incluso que el gruñón que
se enoja con todo mundo.

   ¿Algunas personas nacen con esa actitud afectuosa
y solícita? Quizá algunas, pero puede usted apostar que
quienes tienen esta cualidad han trabajado para desarrollar dichos sentimientos por los demás. Estas son las

El afecto

personas que han desarrollado la verdadera empatía, la cual consiste en la capacidad de relacionarse con otra persona, de compenetrarse con los pensamientos de esa otra persona y hacer lo que sea mejor para la misma. ¿Por qué estas personas tienen tanto éxito en ser afectuosas y preocupadas por los demás? ¿Qué obtienen de ello? Tienen éxito porque se preocupan por su propia persona tanto como se preocupan por los demás. Se dan cuenta de que muy pocas personas logran algo solas. Se dan cuenta de que todos los avances que logran dependen, en buena medida, de la forma en que los ven y en la forma en que reaccionan ante ellos.

Un corazón de héroe sólo se ensancha a través del afecto o preocupación sinceros que demuestra. El afecto es una calle de dos sentidos, pero acerca a la gente. Todo mundo quiere a los héroes, cuyas vidas son guiadas por el amor a los demás seres humanos.

Que no se me malinterprete. Esta gente afectuosa y solícita puede ser capaz de portentosos sacrificios por ayudar a los demás, pero no son como el niño que "permaneció sobre la cubierta en llamas". Aquel niño fue un notable ejemplo de obediencia y lealtad, pero ¿realmente le sirvió a aquel niño o a alguien más que muriera quemado y que se hundiera con el barco? Realmente no. Su muerte no le salvó la vida a nadie, ni siquiera salvó la carga del barco.

Más bien estas personas afectuosas y solícitas se parecen al niño que salvó una gran parte de Holanda metiendo su dedo en el hoyo de una represa. Al hacerlo, el niño estaba salvando su hogar y los hogares de otros, lo mismo que su vida y las vidas de otros. ¿Piensa usted que se sentía a gusto ahí parado, conteniendo el océano con su dedo? ¿Piensa usted que se sentía feliz? No, se sentía muy infeliz, a disgusto, y tan cansado que sentía dolor, pero sabía que podía dar lo mejor de sí por su gente hasta que llegó auxilio y remendaron la represa. De otra manera hubiera corrido como un calamar espantado a refugiarse.

El niño de la represa sabía que nadie hace nada solo. Uno requiere de ayuda. También sabía que la gente puede lograr lo mejor de sí cuando ama a la gente y se preocupa de lo que le pasa a la gente.

APOYO # 3

En un frío día de invierno, un hombre que volvía a casa del trabajo, vió que un aeroplano se estrelló en el gélido Río Potomac, cerca de Washington, D.C. Inmediatamente salió de su auto, corrió hacia el río, se zambulló y rescató a un asistente de vuelo. Millones vimos esto por televisión. ¿Cree usted que el hombre titubeó unos instantes para evaluar un par de preguntas como: "¿Se tratará de alguien importante?", o "¿Se tratará de alguien que me interese?" Por supuesto que no se planteó esas preguntas. En vez de ello saltó al río helado para rescatar a otro ser humano, con riesgo de perder su propia vida. ¡Aquella acción me hizo ver que los seres humanos verdaderamente nos preocupamos por los demás! Lo que pasa es que no se los demostramos con mucha frecuencia que digamos.

117

El afecto

Muchos de nosotros jamás tendremos la oportunidad de salvarle la vida a alguien, pero todos podemos demostrar, y decirle a alguien cada día, que nos cae bien y que nos preocupamos por dicha persona. Un buen sitio dónde comenzar es nuestra casa.

Aprenda a decir "te estimo" antes que sea demasiado tarde

¿Por qué les decimos a los demás que nos caen bien? ¿Acaso no lo saben ya? Bueno, pues la gente no es telépata, y esta es una situación en que las palabras significan más que los actos.

Arthur Gordon escribió un libro titulado A Touch of Wonder. El le llama: "un libro para ayudar a que la gente siga teniéndole amor a la vida", y está repleto de pensamientos inspiradores. Un par que me llamaron la atención fueron: "El afecto no sirve de gran cosa a menos que se le exprese", y "El trasladar las emociones a palabras les confiere la vida y el realismo que de otra manera no tienen".

¿Alguna vez ha deseado usted, cuando ya es demasiado tarde, haberle dicho a alguien que lo estimaba? Permítame hablarle sobre un amigo especial que tuve una vez. Mi esposa y yo fuimos de los primeros en construir casa en una colonia nueva. Una noche un sujeto llegó a nuestra puerta y se presentó: "Mi nombre es Mack. Mi esposa y yo acabamos de comprar el lote de junto, queremos construir una casa y tenemos los planos. Queremos que ustedes les echen un vistazo a los planos a ver si los aprueban". La verdad es que aquello me sorprendió bastante. Yo no sabía que nadie tuviera el derecho de aprobar los planos de otra persona. A lo que voy es que aquel fue el inicio de una prolongada y calurosa amistad. Esa era la clase de tipo que era Mack, considerado con todos los que le rodeaban.

Mack y su esposa departieron con nosotros en todo género de actividades recreativas. Íbamos a pescar y jugábamos a las herraduras en el patio trasero. Mack era definitivamente mi mejor amigo. La mayoría de nosotros podemos sentirnos afortunados de tener un buen amigo. Mack era la clase de persona con quien podía sentarme a platicarle algunos de mis problemas. Yo le contaba y él me escuchaba.

En febrero de 1983 murió Mack. Era mi mejor amigo, aparte de mi familia, y jamás le dije que lo estimaba. Debido a ello siento un vacío interior. Sinceramente quiero ayudar a otros a que superen esa timidez que no les permite decirle a otros que realmente se preocupan por ellos.

Desde que Mack murió, me he puesto a decirle a la gente que es importante para mí que la estimo. Es un sentimiento maravilloso, pero a veces se necesita tener mucho valor. No se considera macho andar por ahí diciendo cosas como: "Te estimo", pero me he dado cuenta de que uno de los hábitos básicos de la gente alegre, entusiasta y afectuosa es que demuestra su aprecio sincero, honesto y de corazón por los demás. Le dicen a los demás que los estiman y que los quieren. En el fondo a todos nos importan otras personas, y queremos interesarles nosotros a ellas. Es tan elemental como respirar. El día de hoy insúflele un poco de afecto a su vida. Dígale a alguien que lo estima. Cuando lo haga, descubrirá que la calidez e interés suyos son contagiosos.

Diga: "me encantas"

Antes de viajar por el país pidiéndole a mi público que intente algo nuevo, como por ejemplo decir "te estimo" a sus amigos, deseo cerciorarme yo mismo que funciona. He descubierto que el mejor sitio para experimentar es el hogar. Hace algún tiempo le dije a mi esposa: "¡Frankie, me encantas!" Me agarró del pescuezo y me besó en la boca.

Eso no fue todo. Esa noche me preparó mi platillo favorito: nabos con pan de maíz. Lo raro de esto es que ella jamás cocina nabos. Por ningún motivo se los comería y alega que apestan toda la casa al cocinarlos. Amigo mío, ¡funciona el decirle a los demás que uno los estima! ¡Inténtelo!

Hay cosas buenas que encontrar si las buscamos

Will Rogers dijo: "Nunca he conocido a un hombre que no me caiga bien". Lo que Will Rogers no dijo fue: "No siempre me cae bien lo que cada persona hace". El mensaje aquí es que, en efecto, nos agrada la gente, pero no siempre nos agrada lo que la gente hace.

¿Cómo podemos desarrollar la saludable actitud de sentir agrado por los demás? Efectivamente, leyó usted bien. Dije "saludable", porque no nos sentimos bien cuando estamos cerca de alguien que nos desagrada. Nos sentimos nerviosos, irritables, enojados e inclusive viles. Nos hacemos daño nosotros mismos con tales sentimientos. Ciertamente no le hacemos daño al otro, a menos que perdamos el control y digamos o hagamos cosas que lastimen a la otra persona.

Tengo una amiga que la ascendieron a una nueva área en su compañía. El primer día que Betty llegó a su nuevo trabajo, el gerente le dijo: "Betty, debo decirte que probablemente no te agradará tu compañera de trabajo.

"Jackie es casi indispensable en el área donde trabaja pero tiene mal carácter, es mandona y tiene la lengua tan filosa que a la gente le cuesta trabajo trabajar con ella. Espero que puedas llevarte bien con ella, aunque no te caiga bien".

121

El afecto

En un principio, Betty se desalentó. Pero pensó para sus adentros: "Me gusta esta compañía. Me gusta mi nuevo trabajo. ¡Y estoy segurísima de que voy a encontrar algo de Jackie que me agrade!"

¡Fue todo un reto pero Betty lo logró! Aquello sucedió hace 15 años. Actualmente Betty y Jackie son las mejores amigas; de hecho, son casi como hermanas. Le pregunté a Betty cómo le había hecho para lidiar con una persona que a todos "les encantaba odiar". Betty me contestó que no quería cargar con la infelicidad de que alguien no le agradara, de manera que todos los días buscaba algo bueno en Jackie. Se le hizo hábito, y pronto Jackie empezó a agradarle verdaderamente a Betty.

Y lo mejor de todo es que Jackie correspondió de la misma manera.

Betty buscaba algo bueno en Jackie y lo encontró, ¡esa es la clave! Para ayudarnos a desarrollar la actitud de que nos agraden más los demás, debemos de buscar algo bueno en cada persona. Aun las peores personas tienen algunos puntos buenos. Es nuestra responsabilidad encontrar esos puntos buenos. Cuando pensamos cosas buenas sobre los demás, y les decimos que nos agradan.

Por lo general responderán de la misma manera, como hizo Jackie. No podemos esperar que siempre nos agrade lo que cada persona hace, pero si buscamos lo bueno en la gente, tal vez empezaremos a entender por qué Will Rogers dijo: "Nunca he conocido un hombre que no me caiga bien".

Si quiere que lo traten como perro, pórtese como perro

Los perros domésticos son los únicos animales que no tienen que trabajar para vivir. Incluso los gatos, al menos algunos, atrapan ratones. Las gallinas ponen huevos. Las vacas dan leche. Lo único que los perros domésticos hacen para ganarse el sustento es brindarnos cariño y afecto.

Un buen ejemplo es Friskie, el perrito que tenemos en casa. Aunque no es lo más recomendable, Friskie vive dentro de la casa. El perrito se considera persona, y en ocasiones es la más considerada y afectuosa a la vista.

Cuando mi esposa regresa a casa de las compras, o de donde quiera que haya estado, ese perrito, con sus aguzados y sensibles oídos, escucha el carro cuando entra al camino de entrada. Friskie parece saber que se trata de mi esposa y ruega por salir de la casa. Cuando se le abre la puerta, el perrito corre para expresar su saludo de "bienvenida a casa". Mi esposa, desde luego, le corresponde con un abrazo y un poco de charla para perros como, por ejemplo: "¡Quihubo, Friskie! ¿me extrañaste? ¡Yo sí!" Ambos demuestran gran cariño recíproco.

Un día empecé a hacer comentarios sobre todo el afecto que mi esposa le brindaba al perrito y le pregunté: "¿Por qué siempre tratas al perro mucho mejor que a mí?" Su respuesta fue: "Bueno, pues si tú salieras a saludarme y se te viera que te da tanto gusto verme como al perro, a lo mejor te trataría como perro".

Su respuesta me agarró un poco con la guardia baja, pero mientras más pensaba en ella, más cuenta me daba de que lo que mi esposa decía tenía fundamento. Si yo la tratara tan bien como el perro, ella me trataría a mí como al perro.

En todo el mundo el perro se ha hecho célebre como el campeón para conquistar amigos, así que ¿por qué no emplear sus métodos? Cuando nos acercamos a un perro, menea la cola. Si empezamos a mimarlo, se nos encarama y nos demuestra cariño y afecto. Lo mejor de todo es que sabemos que no nos está tratando de vender nada. Lo único que el perro quiere a cambio es cariño y afecto. De manera que estudie usted la manera de actuar de su perro. Es posible que aprenda una valiosa lección sobre relaciones humanas.

Abrázame, papito, lo necesito

¿Ya abrazó hoy a su hijo? Recuerda usted haber visto la calcomanía para las defensas del carro que dice: "¿Ya abrazó hoy a su hijo?" Se trata de una de las calcomanías con mayor significado que jamás he visto. Es un poderoso recordatorio de que debemos demostrar nuestro cariño a los pequeños, para que sepan que se les quiere.

¿Por qué es tan importante demostrarles nuestro afecto a los pequeños? Un reciente reportaje en el periódico The State de Columbia, Carolina del Sur, hablaba sobre "el cáncer de la criminalidad", e incluía entrevistas con varias autoridades en materia de crimen, entre ellos dos prisioneros. Casi todas estas personas, al considerar las causas de la criminalidad, coincidían en que, en sus primeros años, los criminales no habían recibido mucho afecto o no les habían dado muestras de cariño.

Una noche hace poco, fui testigo de un episodio desgarrador mientras hacía cola en un restaurante de mariscos. Noté que había una familia cerca de mí. Uno de los pequeños, una niñita de cuatro o cinco años, estaba evidentemente muy cansada y hambrienta. Manifestaba su disgusto con lloriqueos ocasionales. Todos sabemos que un pequeño de esa edad se puede poner inquieto y que necesita un poco de afectuosa atención. Pero lo que le dieron fue exactamente lo contrario. Sus padres evidentemente la estaban pasando bien, hablando y riendo. En lugar de tratar de reconfortar a la niña, se voltearon hacia ella y le gritaron "¡cállate!" Después, aparentemente para enfatizar la orden, la madre le dio un manazo a la niña. ¿Cómo puede un padre o una madre ser tan desconsiderado? Me sobrecogió ver la manera en que trataban a aquella niña. Me sentí totalmente impotente porque no sabía qué podía hacer para evitar esa situación.

El afecto

De niños, aprendemos a amar siendo amados. ¿Puede usted imaginar lo que esa niña va a sentir hacia sus padres, particularmente al llegar a la adolescencia? Lo más probable es que esa niña en particular no sienta amor ni respeto por sus padres. También, de acuerdo con estudios hechos en este terreno, probablemente jamás mostrará respeto hacia ningún adulto que ocupe una posición de autoridad, como por ejemplo sus profesores en la escuela. Peor aún, en algún momento de su vida, es muy probable que se integre a una pandilla. Desafortunadamente esa es la única manera en que demasiados niños pueden llegar a sentir que importan. También es posible que esa misma pequeña desarrolle algún tipo de conducta criminal y termine en un reclusorio. En ese mismo reportaje sobre "el cáncer de la criminalidad", el consenso de los entrevistados fue que debemos preocuparnos por los niños cuando son muy pequeños si deseamos convertirlos en ciudadanos buenos y productivos.

¿Ya abrazó hoy a su hijo? Asegurémonos de que los niños con los que estamos en contacto reciban cuando menos una demostración positiva, un buen abrazo amoroso, todos los días.

¡Escucha, caramba, a lo mejor aprendes algo!

Escuchar es una de las cosas más importantes que

hacemos. Sin embargo, muchos no escuchamos bien. ¿Qué quiere decir esa palabrita "escuchar"? Puede significar una de varias cosas. El significado básico, desde luego, es que cuando escuchamos, oímos algo, como cuando nos sentamos a escuchar nuestra música predilecta. Otro significado de escuchar es estar alerta para oír algo, un sonido que quizá estemos esperando o algún sonido que quizá podamos oír. Cuando esperamos a alguien, tratamos de escuchar un golpe de nudillos en la puerta o quizá unos pasos que nos indiquen que dicha persona ha llegado. Todos los conductores experimentados están listos para escuchar el sonido de un vehículo de emergencia aunque conscientemente no se den cuenta de que están alerta para captar dicho sonido.

Oír sonidos y estar alerta para captarlos es importante para todos, pero escuchar tiene otro significado que puede ser mucho más importante para nuestro progreso, para nuestro bienestar y en lo que se refiere a las posibilidades que tenemos de alcanzar el éxito. ¿Qué es mucho más importante? Prestar atención a los sonidos que oímos. No sirve de gran cosa escuchar buena música si realmente no estamos escuchando. Quizá todos alguna vez nos hemos molestado en un concierto porque alguien no para de hablar. Por dejarse llevar por una noción errada de su propia importancia, negándose a prestar atención, dicha persona priva de la belleza de la música en plenitud a todos los que sufren su perorata. No sirve de gran cosa oír un golpe de nudillos en la puerta, si no prestamos atención al sonido y, atendiendo al llamado, abrimos la puerta para saludar y dejar pasar a la persona que toca. No sirve de gran cosa oír una sirena de emergencia si no prestamos atención ni tomamos las medidas pertinentes para resguardarnos del peligro.

Es muy importante que escuchemos y prestemos atención a las clases y explicaciones escolares, si queremos aprobar las materias. Es muy importante, una vez que nos hemos orientado hacia una carrera, que escuchemos y prestemos atención a los consejos referentes a cómo hacer mejor nuestro trabajo. Es muy importante para un vendedor escuchar y prestar atención a las palabras del cliente, para que sepa qué es exactamente lo que el cliente necesita y, de esta manera, poder atenderlo mejor. En pocas palabras, una de las cosas más importantes que podemos hacer para ayudarnos a lograr el éxito es prestar atención a lo que escuchamos.

A la gente le gusta que le digamos: "Platícame de tí"

Sea honesto con usted mismo. Cuando escucha a alguien relatar una experiencia, ¿de qué manera reacciona? ¿Acaso sus pensamientos viran hacia un incidente similar y empieza a comer ansias por contarlo?

A todos nos ocurre. Afortunadamente, podemos aprender a controlar nuestros hábitos para escuchar.

Recientemente, acudí a una cena donde tuve el agrado de escuchar una estimulante plática de sobremesa entre dos personas. Una de ellas era un añoso caballero cuyo hobby era cultivar camelias. Cuando la dama a su derecha supo de su hobby, le hizo varias preguntas: "¿Cuándo fue que le cogió interés a cultivar camelias? ¿Cuáles flores le gustan más, las que salen al principio o las que salen al final? ¿Mete sus camelias a concursos de jardinería?" Las preguntas continuaron sin cesar, y la dama escuchaba con atención cada respuesta. Después de la cena, el caballero me dijo que aquella dama había sido, en mucho tiempo, la persona más interesante que había hallado para conversar. ¡Era una escucha activa! Es una pena que, con demasiada frecuencia, pensemos en el escuchar activo como un arte perdido.

Se nos enseña que el arte de escuchar debe ser aprendido y que es el más difícil de los procesos del aprendizaje. Una de las razones de tan extraordinaria dificultad es que nos gusta más hablar que escuchar.

Gane el concurso de popularidad

¿Por qué algunas personas son tan populares? Permítame hablarle de una persona que tiene una fórmula muy sencilla para hacer amigos. Blackie Meadows es una dama que tiene muchos, muchos amigos. Blackie parece caerle bien a todo mundo. Cuando conozco a una persona como ella, trato de indagar por qué es tan popular. ¿Quiere usted saber el secreto de Blackie? Es muy buena para escuchar.

En una ocasión, hace bastante, estaba solo en casa cuando Blackie llegó de visita. Nos sentamos en el patio y conversamos por cosa de una hora. Fue una de las entrevistas más agradables que jamás haya tenido. Fue absolutamente placentera. Me pareció que ella había estado media hora en lugar de una hora.

Después de que Blackie se fue, me pregunté: "¿Por qué disfruté tanto su visita?" Mi conclusión fue: "¡Blackie es buena contertulia!" Esto me llevó a otra pregunta: "¿Por qué y cómo es que es buena contertulia?" Buscando la respuesta, de pronto me salió al paso: ¡porque es muy buena para escuchar!

¿Qué era lo que Blackie hacía para ser tan buena para escuchar? Hablaba de cosas que me interesaban a mí, y hacía muchas preguntas. Sabía que me gusta la carpintería, así que me preguntó: "¿Qué has hecho últimamente en tu taller de carpintería? ¿Qué madera usas? ¿Ya habías hecho uno igual antes? ¿Por qué se te ocurrió hacerlo?" Después de su visita y después de mi análisis, me resultó fácil darme cuenta por qué Blackie Meadows le cae bien a tanta gente.

Algún tiempo después de su visita, llamé por teléfono a Blackie para decirle que pensaba utilizar esta historia en una charla y que planeaba usarla en mi programa de radio. Durante la conversación, le pregunté: "¿Cómo fue que llegaste a ser tan buena contertulia y tan buena para escuchar?" Después de una breve pausa, Blackie me contestó: "Supongo que porque verdaderamente me agrada la gente, y porque tengo sincero interés en lo que la gente hace". Hizo otra pausa, y luego prosiguió: "Yo soy la que en verdad ha ganado. Por escuchar he aprendido mucho de otras personas".

Supongo que esta pequeña historia sobre Blackie Meadows nos indica que para interesarles a los demás, primero ellos deben interesarnos a nosotros. También nos señala que uno de los secretos para tener muchos amigos es ser buenos para escuchar.

Pregunte y ¡quédese callado!

¿Cuál es el secreto del éxito en la ventas? Puede usted encontrar muchas respuestas a esa pregunta, pero me gustaría compartir con usted la respuesta que yo he encontrado. El secreto del éxito en las ventas es hacer preguntas ¡y escuchar!

Hace algunos años, aprendí este secreto a la mala. Yo deseaba y andaba en pos de un jugoso contrato con una compañía para entrenar a sus empleados. Mi especiali-

El afecto

dad es la comunicación verbal y las relaciones humanas, pero mi cliente potencial no lo sabía. Mi opinión era que la compañía necesitaba desesperadamente de mis servicios. Lo único que tenía que hacer era convencer a los ejecutivos de más alto nivel, y sabía que podría lograrlo con bastante facilidad. Hice una cita con los altos ejecutivos, pidiéndoles 15 minutos de su tiempo. Supuse que si condensaba y abreviaba todas mis maravillosas facultades, un cuarto de hora bastaría para venderme y para que aquellos ejecutivos quedaran anhelando mis servicios. Cuando la reunión se llevó a cabo, me dediqué a hablar, y hablar, y hablar. Pero no me di tiempo de escuchar. No paré en media hora, y no di oportunidad a los ejecutivos de la compañía de que dijeran palabra, ni tangencialmente.

Cuando la junta terminó, el director de la compañía me dijo, textualmente: "No nos llame, nosotros nos comunicaremos con usted", lo cual yo sabía que significaba: "No queremos volverlo a ver". Me sentí lastimado, porque estaba seguro de que aquella compañía requería de mis servicios.

Me dije a mí mismo: "¿Cómo es posible que esa gente tan estúpida llegue a ocupar los puestos de dirección de una compañía tan grande?" Tenían que ser estúpidos por no comprar lo que yo vendía. Yo podría haberles resuelto todos sus problemas, y se los había dicho, pero habían sido demasiado tontos como para reconocerlo.

Estuve cavilando algunos meses, preguntándome porqué aquellos ejecutivos no se habían dado cuenta de que me necesitaban. Leí todos los libros sobre ventas que pude encontrar. Pensé en una nueva manera de abordar el asunto y volví a hacer el intento. Busqué consejo en lugar de darlo. Les dije que apreciaría el hecho de que me ayudaran a desarrollar programas de entrenamiento específicos para encarar necesidades específicas. Empecé a hacer preguntas, muchas preguntas, y escuchaba las respuestas. Esta reunión terminó de manera completamente distinta. En lugar de decirme: "No nos llame, nosotros nos comunicaremos con usted", el director de la compañía me preguntó: "¿Estaría usted dispuesto a desarrollar algunos programas para nuestra compañía?"

Aquella compañía se convirtió en uno de mis mejores clientes. ¿Cuál fue la diferencia entre aquellas dos juntas? Haciendo preguntas y escuchando las respuestas, yo mostraba interés en el cliente y sus problemas, en lugar de presentarme como un sabelotodo, conocedor de todas las respuestas.

Matrimonios y vidas pueden salvarse escuchando

¡Aprenda a escuchar! Puede salvar su matrimonio, o inclusive la vida de un ser amado. Un amigo mío, que llevaba años felizmente casado, parecía molesto y

El afecto

frustrado con su esposa. No suelo meterme en los asuntos de los demás. Sin embargo, en este caso, mi amigo me dijo que tal vez le gustaría hablar sobre sus frustraciones conmigo. Así que le pregunté: "¿Cuál es la causa principal del problema?"

"Mi esposa sencillamente no quiere escuchar una sola palabra de lo que le digo", me contestó.

Le pregunté: "¿A qué te refieres? Dame un ejemplo".

Mi amigo describió un caso: "Hace unos meses, en el desayunador, quería compartir con ella una idea. Para mí era importante, pero antes de poder terminar la primera frase, ella me interrumpió para hacer un comentario sobre algo totalmente diferente. No ha sido la única vez. De hecho, pasa casi todos los días. Cuando intento compartir con ella algo que haya pasado en el día, ella da a entender, aunque no lo diga, '¡eso no es nada! ¡Deja que yo te cuente algo bueno!'

Entonces le pregunté a mi amigo: "¿Tú qué haces cuando ella responde como me acabas de describir?"

"Sencillamente me callo", me dijo "y me retiro".

"¿Y luego qué pasa?", le pregunté. "Me hace enojar tanto que frecuentemente me echa a perder el día. Me pone tan de malas que con frecuencia desquito mis frustraciones con otras personas que trato durante el día", me dijo y prosiguió: "Es una sabelotodo. Siempre sabe más que yo del tema que sea. Al menos, eso es lo que ella piensa. Independientemente del tema que estemos hablando, ella siempre tiene las respuestas".

Mi siguiente pregunta fue: "¿Alguna vez has hablado con ella de este problema?"

"Claro que sí, muchas veces", me dijo, "pero siempre que trato de hablar sobre el problema de que no me escucha, me sale con una gran lista de defectos míos. El resultado final es que no nos comunicamos."

¿Por qué aquella pareja no podía comunicarse? ¡Porque uno de los dos no escuchaba! Leí un artículo sobre el suicidio entre los adolescentes. Para recabar información para su escrito, el autor entrevistó a varios padres, así como a los amigos de los adolescentes que se habían suicidado. Las preguntas formuladas en las entrevistas iban encaminadas a encontrar las razones por las que aquellos jóvenes se habían quitado la vida. En casi todos los casos, parece que existieron diferentes indicadores que pudieron y debieron haber sido identificados a tiempo por las personas cercanas a los suicidas. ¡Todos coincidieron en que nadie se dio tiempo para escucharlos!

Los psicólogos, consejeros matrimoniales, abogados especializados en divorcios, y otros que trabajan con gente frustrada hacen hincapié en la importancia de escuchar. Estos expertos nos dicen que sus servicios serían mucho menos solicitados ¡si la gente sencillamente aprendiera a escuchar! En muchos casos, lo único que el paciente necesita es que haya alguien que lo escuche.

¿Cómo se convierte una persona en un buen escucha? Los especialistas en la materia nos dicen que una buena manera de aprender a ser un buen escucha es formando el hábito de animar a que la otra persona hable, diciendo: "¡Platícame más!" Luego, quédese callado y.. ¡escuche!

Pasos para sintonizarse

Existen varias técnicas para escuchar que pueden ser de gran utilidad para "sintonizarnos" con cualquier interlocutor. Haría usted bien en grabárselas y ponerlas en práctica la próxima vez que esté conversando con alguien.

-MIRE a la persona que habla.

-IGNORE los pensamientos sobre su propia persona que le distraen.

-SONRIA, ASIENTA CON LA CABEZA, o aliente de otras maneras a la persona para que siga hablando.

-PIENSE en lo que se está diciendo.

-REPITA lo que se ha dicho para asegurarse de que ha comprendido.

-ESCUCHE, independientemente del modo de hablar o de las palabras empleadas.

-ESCUCHE, aunque pueda usted prever lo que le van a decir. Deje que la otra persona termine de decir lo que trata de decir.

-HAGA PREGUNTAS a fin de que le brinden una explicación clara.

El Diccionario Webster nos proporciona una definición de la palabra "escuchar": "Oír con reflexiva atención". La clave parece ser el hecho de concentrarse. Desafortunadamente, uno de los mayores problemas es que la mayoría preferimos hablar que escuchar. ¡Sin embargo, podemos obtener un doble beneficio si aprendemos a ser buenos escuchas! Escuchando podemos aprender mucho de los demás y hacer amigos.

Un leve contacto puede ayudar, pero tenga cuidado

¿Cuál es una de las mejores maneras de hacerle saber a la gente que uno se preocupa por ella? Un artículo que apareció recientemente en el periódico nos informa que muchos doctores están preocupados hoy en día porque la "implantación de manos" está desapareciendo de la medicina. Estos doctores tienen buenas razones para preocuparse. El contacto físico en uno de los factores más importantes en las relaciones humanas. Desde mucho antes de lo que la humanidad pueda recordar, los hombres dedicados a la medicina han tocado a los pacientes, como parte del proceso curativo. Un apretón de manos o una palmada en el hombro por parte del médico siempre ha sido de utilidad para que el paciente se sienta mejor y se cure más rápido.

¿Se ha fijado que los bebés dejan de llorar cuando alguien los carga? Mucha gente dice que es porque son mimones, pero muchas veces esto no es verdad. Puede ser que tenga un cólico, o puede ser sencillamente que se haya mojado, pero cuando alguien toca a un

137

bebé o lo carga, el bebé sabe que alguien se preocupa lo suficiente como para hacer algo por ayudarlo. Si deja usted al bebé acostado mientras va por su medicina o por el pañal, el bebé seguirá gritando, porque no lo han tocado. Los bebés no tienen otro modo de saber que alguien los quiere y que se preocupa por lo que les pasa.

Los miembros de una de las familias más felices que conozco no se limitan a estrecharse las manos cuando se encuentran, y su forma de comportarse no depende de que asistan a una reunión familiar, a una boda o a un funeral. Cuando se encuentran en la calle, es igual de probable que se abracen o que no lo hagan. No es tampoco un abrazo mecánico. Es un abrazo cálido y afectuoso, que expresa el aprecio y cariño que sienten unos por otros los miembros de la familia. Los niños crecen recibiendo esos besos y abrazos de muchos de sus parientes.

Dado que crecen acostumbrados a que el contacto físico es parte de sus vidas, son mejores personas gracias a ello. Algunos pequeños, e inclusive uno que otro adulto, se sienten mucho mejor tocando o abrazando un oso de peluche, pero no es lo mismo que tocar y abrazar a gente de verdad.

No quiero decir que un jefe deba ir por toda la oficina abrazando y besando a sus empleados. Un jefe no puede hacer eso porque es posible que se malinterprete su conducta y tal vez no les resultaría grato a algunos de los trabajadores. Pero si el jefe les da un buen apretón de manos, una palmada en la espalda o en el hombro, junto con algunas palabras de encomio, ese jefe obtendrá más de sus empleados que si se quedara tieso al hablar frente a ellos.

Un firme apretón de manos o un toquecito amistoso en el momento oportuno, para expresarle su sinceridad al cliente, marca la diferencia entre el éxito o el fracaso entre los vendedores. Es una manera de decir: "Gracias. Le aprecio por lo que usted es". También los profesores lo hacen cuando cogen la mano de un niño y la van guiando mientras aquel escribe.

Ni todas las palabras del mundo, ni todos los tubos, cables y demás accesorios que los médicos emplean en las salas de terapia intensiva pueden compararse con el contacto físico entre humanos. Sin embargo, menos del diez por ciento de las escuelas de medicina investigadas enseñan a los doctores y enfermeras sobre el contacto físico. No es de sorprenderse que muchos viejos doctores estén preocupados. Una escuela en Nueva Zelanda ha instaurado un curso sobre el contacto físico, y los jóvenes doctores y enfermeras están valiéndose del mismo con buenos resultados. Pero no necesita usted ir a la escuela para aprender a tocar.

Lo único que necesita hacer es alargar la mano para dar un amistoso apretón, o una sincera palmadita en la espalda o el hombro, cada vez que se tope con alguien a quien usted estima.

Usted seguramente ha escuchado el comercial de teléfonos que dice: "Estire la mano y haga contacto con alguien". Cierto individuo, al estar comentando el tema en una reunión, alzó la voz para decir: "Yo lo intenté y no me funcionó muy bien. Tengo que presentarme en el juzgado la semana que entra".

Por supuesto que al hacer contacto con alguien se nos puede pasar la mano, pero inténtelo en su casa. Abrace a su hijo o a su esposa. Es una de las bellas formas que conozco de decir: "Gracias por estar aquí".

¿Quién le dio su primera oportunidad?

¿Cómo fue que usted empezó? ¿Cómo es que todo mundo realmente empezó a encaminarse hacia sus metas? La respuesta es que, alguna vez, alguien vio algo en usted. ¿Recuerda usted quién le dio su primera oportunidad?

Hace varios años, la compañía United Technologies Corporation puso un insólito anuncio en el Wall Street Journal. Lo insólito era que no se mencionaba producto o servicio alguno de la United Technologies. Empezaba con una pregunta:

> "¿Recuerda usted quién le dio su primera oportunidad?"

Cuando leí el anuncio me pregunté: "¿Quién realmente ha ejercido una influencia positiva sobre mi vida?" Desde luego, mis padres encabezaban la lista. Luego habían otras tres personas que me resultaban sumamente fácil identificar. Dos eran ex patrones y la tercera un entrenador en materia de aptitudes para liderazgo y oratoria eficaz.

Para que pueda usted comprender la influencia que ejercieron sobre mí estas personas, debo relatarle un poco más acerca de mi persona. Desde pequeño, e inclusive ya de adulto, era yo extremadamente penoso y tímido. De hecho, era yo tan tímido que me resultaba difícil entrar a una habitación llena de desconocidos. Me atemorizaban a tal punto las multitudes que no podía dirigir ni siquiera a un grupo que estuviera haciendo oración en silencio, ¡y ahora véame! ¿A qué me dedico? Viajo por todo el país, hablando a desconocidos y dirigiendo seminarios para extraños, ¡y me pagan por hacerlo! ¿No es acaso un giro de ciento ochenta grados?

Estoy relatándole esto sobre mi persona, porque deseo enfatizar la deuda que tengo con las tres personas a que antes hice referencia, por ayudarme a llegar donde estoy. Les atribuyo todo el mérito.

¿Que si escribí varias cartas después de leer el anuncio de la United Technologies? ¡Seguro que sí! En dos de los casos recibí llamadas de larga distancia para decirme lo que mis cartas habían significado para esas personas. La tercer persona me escribió una carta expresándome su agradecimiento. Uno de aquellos tres hombres falleció hace poco y me da gusto haberme dado tiempo, antes de que fuera demasiado tarde, de escribir aquellas cartas para expresar mi aprecio sincero

El afecto

por la positiva influencia que dichas personas tuvieron en mi vida.

¡Y, sí, yo también he recibido cartas similares! Cuando recibo una de esas cartas, me hace trabajar un poco más duro, y me hace más consciente de las grandes oportunidades que tenemos de influenciar positivamente a los demás.

No podría enfatizar en exceso lo que aquel anuncio implicaba. Tómese diez minutos para escribir una nota de agradecimiento a la persona o personas cuya positiva influencia le ha ayudado. ¡Podría resultar el tiempo mejor invertido de su vida!

LA GENTE

La gente necesita héroes. Los héroes exaltan nuestra fe en nuestra propia valía. También nosotros podemos lograr lo que los héroes logran. Los héroes necesitan de la gente. Uno no puede ser héroe para un gato, o para un árbol, sino sólo para otra persona. Los héroes hacen lo que hacen por la gente. ¿Cuántas veces ha escuchado usted decir la siguiente irreflexiva afirmación?: "Me tiene sin cuidado si le caigo bien a la gente o no". En verdad se trata de una afirmación fuerte, ¿pero es cierta? Usted y yo sabemos que cuando alguien dice que no le agradan las personas, que son sus iguales, no está diciendo la verdad. Sabemos que "la gente necesita a la gente", y que desea que los demás la quieran.

Mi esposa y yo tenemos dos hijos con una diferencia de edades de unos siete años. Hasta que cumplió seis años, el mayor de ellos prácticamente todas las noches se salía de su cama y se acostaba conmigo y con mi esposa. Una noche, cuando estaba entrando a nuestra recámara, me desperté lo suficiente como para sorprenderlo in fraganti. Le pregunté: "Hijo, ¿qué tiene nuestra cama que la tuya no tenga?". Hizo una pausa y después, de muy buen modo me contestó: "¡Gente!"

"¡Hazte para allá!", le dije a mi esposa, "tenemos un invitado".

La moraleja de esta historia es que todos necesitamos estar con gente, especialmente con quienes queremos o estimamos. ¡Sí, efectivamente la gente necesita a la gente! Aprendamos a querer y a respetar a los demás. A cambio, ellos nos elegirán como las personas con quienes quieren estar ligados.

APOYO # 4

La mayoría de nosotros estamos dispuestos a aceptar el hecho de que la gente necesita a la gente, ¿no es cierto? ¿Y que la gente necesita recibir aliento de la gente? El siguiente paso que debemos poner por obra tiene la finalidad de dar una palmadita en el hombro a alguien todos los días.

Prodigue unos cuantos mensajes positivos, como el decirle a alguien: "¡Estás bien!" Encuentre algo bueno que decir ¡y dígalo!

Hay remuneraciones que valen más que el dinero

¿Cuál es la mejor forma de conseguir algo que usted desea? Medite bien esta pregunta y se dará cuenta de que sólo hay una forma de conseguir las cosas en este mundo. Para conseguir algo, debemos dar a cambio una "remuneración".

Una "remuneración" puede ser una de muchas cosas. La "remuneración" puede limitarse, en un nivel material frío y prestablecido, al precio que se paga por un bien o un servicio, o puede incursionar en el mundo mágico del respeto y la atención esmerada, al convertirse en el acto de hacer que la gente sepa que verdaderamente uno se interesa en ella.

El precio que usted paga por un corte de pelo es una "remuneración", y es todo lo que se necesita para que le hagan a uno un buen corte. Agregue a esos pesos que paga respeto y admiración por el estilista o peluquero y dígaselo. ¿Qué es lo más probable que suceda? Que le hará el mejor corte de pelo de que sea capaz.

Mi amigo John sigue yendo a una gasolinería donde se presta servicio completo porque, de acuerdo con John, ahorra más dinero dando a su auto mantenimiento a tiempo, que despachándose él mismo su gasolina. John admite que no sabe gran cosa de autos, a diferencia del hombre a cargo de la gasolinería. El puede decirle: "John, más vale que cheques esos frenos", o darle

147

otros consejos. John hace caso del consejo, porque ello siempre le ha hecho ahorrar dinero.

La relación de John con el encargado de la gasolinería va mucho más allá que eso. No sólo es el hecho de pagar la "remuneración" material por la gasolina, el aceite y el servicio. El respeta y admira los conocimientos y la capacidad del hombre, y se lo dice. John dice: "Lo que en verdad respeto de ese hombre es la consideración que tiene con todos sus clientes y, probablemente con toda la gente que trata. ¿Qué es lo que hace que su esmerada atención sea tan especial? Que verdaderamente se preocupa por el bienestar y la seguridad de los demás".

Si brindamos esas intangibles "remuneraciones" sin más afán que el de darlas, porque hay cosas que nos interesan más de la gente que su dinero, recibiremos a cambio todo el dinero que necesitemos, y mucho más.

Déme mi lugar, por favor

¿Qué es lo que hace a la gente sentir que es lo máximo, algo que la hace sentir mejor que cualquier otra cosa? ¡A todos nos encanta que nos den nuestro lugar, que nos traten como si fuéramos importantes! ¡Por supuesto que a mí me gusta que me traten así!

"El hambre no biológica más fuerte y más apremiante

en una persona es el deseo de ser importante", dice el Dr. David J. Schwartz, autor de The Magic of Thinking Big. Jamás han sido dichas palabras más ciertas. Todos queremos y necesitamos sentirnos importantes. Necesitamos saber que se nos aprecia. Hay muchas formas en que podemos hacer sentir importante a alguien: dirija un cumplido sincero. ¿Alguna vez le ha comprado galletas a las niñas exploradoras? Yo lo he hecho muchas veces. Una noche, cuando iba de salida a una reunión, vi a una niña exploradora subiendo las escaleras hacia la entrada de mi casa con galletas. Me saludó diciendo: "¡Buenas noches! ¿Aquí es donde vive Dutch Boling?" Le dije: "Sí, pero tengo prisa ahorita y no puedo hablar contigo. ¿No podrías regresar mañana en la noche?" Haciendo caso omiso de lo que le respondí, ella dio un paso hacia atrás y preguntó: "¿Aquí es donde vive el caballero Dutch Boling?"

¿Qué hubiera usted hecho en mi lugar? Por supuesto que le dije: "¡Pásale, linda! ¡Pásale!" Aquella niñita exploradora me trató como si fuera yo una persona importante. Se me olvidó el hecho de que se me iba a hacer tarde para la reunión. El mensaje en este caso es que a todos nos gusta que nos traten como si fuéramos importantes. Y, si queremos que los demás nos compren nuestras galletas, debemos tratarlos como personas importantes.

Una de las necesidades humanas más hondas es la de sentirse importante. ¿Pero por qué habríamos de molestarnos tratando de que otros se sientan importantes? Se trata de un proceder amable y atento,

La gente

y no nos cuesta ni quinto; sin embargo, el hecho de ser amables y atentos, puede retribuirle grandes beneficios.

Cuando usted contribuye a que alguien se sienta importante, usted también se sentirá importante. Haga que alguien se sienta importante, y usted se hará importante para esa persona. No será usted un rostro más en la muchedumbre, ¡será alguien! Haga la prueba. Vea lo que ocurre cuando usted:

-saluda al mesero de corazón y con una gran sonrisa.

¿Lo atiende bien, no es verdad?

-le da crédito a un colega por su aportación a un proyecto exitoso.

¿Le brinda su genuina cooperación, no es verdad?

-habla bien de su jefe de cuando en cuando.

¿No es verdad que él hace más por usted?

-¿y qué me dice de su familia? A su esposa siempre le viene bien un halago. Aun sus niños necesitan sentirse importantes. "Todos llevamos en la cabeza una imagen de nosotros mismos. En buena medida, esta imagen es un reflejo del trato que recibimos de los demás. Usted puede contribuir a que sus niños desarrollen una buena imagen de sí, tratándolos como personas dignas de respeto". Este buen consejo es una cita de un artículo que apareció en la revista Better Homes and Gardens.

Grábese en la mente esta idea. Haga que los demás se den cuenta de que los aprecia. Que nunca nadie sienta que usted lo considera totalmente predecible. Recuerde que si tiene buenos pensamientos y se los comunica a los demás, usted resultará beneficiado tanto o más que ellos.

Póngase en el lugar del otro

¿Cuál es la mejor manera de hacer que la gente se ponga de nuestro lado y apoye nuestros puntos de vista? Póngase en los zapatos del otro. Trate de ver las cosas desde el punto de vista de la otra persona. Este sencillo consejo me funcionó de maravilla en una situación extraordinariamente delicada.

Vivimos muy cerca de un parque muy concurrido. Para los que vienen por las calles que hay detrás de la casa, nuestro patio les sirve de ruta directa al parque. Ocurre que un grupo de adolescentes decidió elegir nuestro patio como su camino particular al parque.

Jamás me opuse a que estos jóvenes usaran nuestro patio como atajo para pasar. Lo que no me pareció fue la manera en que trataban nuestra propiedad. Ensuciaban nuestro patio con bolsas de papitas, latas de refresco y otras clases de basura. Cosa muy natural en los adolescentes, solían pasar brincando los arbustos, y frecuentemente les rompían algunas ramas.

Naturalmente me harté de la conducta de aquellos chamacos. Estaba a punto de darles un escarmiento, pero recapacité: "¡Aguarda! Piensa bien este asunto", me dije. Estuve observando a los chicos durante varios días. Quería averiguar cuál era la causa de tan irresponsable conducta. Uno de los chicos me llamó la atención. Advertí que se trataba no sólo del más irresponsable de ellos, sino que también era el más popular de la tropa. Me puse a estudiar a aquel joven, y me di cuenta que se comportaba de ese modo porque quería impresionar a sus amigos pretendiendo ser el dueño del mundo. Hacía lo que le daba la gana. Sus amigos, por supuesto, repetían sus acciones.

¡Se me ocurrió una idea brillante! Un día llamé aparte a "Don Efectivo". Estuve hablando con él brevemente sobre las instalaciones recreativas del parque, y luego le dije: "Ya sé que les gusta agarrar mi patio de atajo, y no me molesta. Lo que no me gusta es que me dejan mucha basura y que me han roto varios arbustos. Me he dado cuenta de que tus amigos te respetan, y estaba pensando si me quisieras hacer un favor. ¿No podrías encargarte de que traten bien mis cosas? Si tú te hicieras cargo de eso, seguro que nadie tiraría basura, ni volverían a romperme mis plantas".

Con una gran sonrisa me respondió: "¡Claro que sí, señor!" De inmediato me di cuenta de que el ejercicio de la autoridad le entusiasmaba. Hasta la fecha, no he vuelto a tener problemas con esos chicos. Aquel incidente me demuestra que siempre hay una razón que explica por qué la otra persona actúa de determinada manera. Encuentre esa razón, y no solamente habrá encontrado la clave de su proceder, sino también la solución a su problema.

Emplee un poco de tacto. No dé órdenes. Descubrirá usted que por lo general la gente está dispuesta a cooperar. En aquella ocasión en particular, me di cuenta de que, al conferir autoridad a "Don Efectivo", hice un amigo en lugar de un rival, y el chico se sintió más que dispuesto a poner por obra la responsabilidad que yo le había delegado.

Conviene hablar a la gente por su nombre

¿Cuál es la palabra más importante y dulce para cualquier persona? Por supuesto que el sonido de su nombre, en el idioma que sea. Muchos sabios han dicho que el propio nombre es el sonido más importante que un hombre puede escuchar. ¡Y también una mujer, por supuesto!

Inmediatamente después de casarnos, mi esposa Frankie y yo nos fuimos a vivir a Greer, Carolina del Sur. Era una ciudad pequeña y bonita, pero ella no la conocía muy bien. Por cuenta propia tenía que encontrar dónde estaban las tiendas, los almacenes y los diversos servicios. Había varias tiendas de abarrotes cerca de donde vivíamos, y mi esposa decidió conocerlas todas, a ver qué tal eran. Una semana iba a una de las tiendas, la siguiente semana a otra, y así sucesivamente. Se dio cuenta de que eran muy semejantes en mercancías, calidad, precios y servicio.

Un día, Frankie entró a una tienda en la que antes no había comprado. Cuando cogía un carrito para hacer sus compras, un hombre se le acercó y le dijo: "Buenos

153

días, señora. Me llamo Monty Littlejohn. Soy el gerente y no recuerdo haberla visto venir antes a comprar aquí. ¿Le importa si le pregunto su nombre?" Frankie le respondió: "Me llamo Frankie Boling, y soy nueva en la ciudad". El Sr. Littlejohn alargó su mano y le dijo: "Bienvenida a Greer, Sra. Boling. Si hay algo en que le pueda ayudar, Sra. Boling, no tiene más que pedírmelo".

Desde aquella ocasión, cada vez que Frankie iba a comprar a aquella tienda, el gerente la saludaba diciendo: "Qué tal, Sra. Boling, qué gusto verla". Ya se imaginará usted dónde siguió comprando Frankie desde entonces.

¿Le cuesta trabajo acordarse de los nombres? Nos pasa a casi todos. Se han escrito muchos libros, y se han impartido numerosos seminarios, sobre el tema de cómo acordarse de los nombres. Los expertos afirman que la mayor parte de las personas no nos acordamos de los nombres porque no hacemos ningún esfuerzo por recordarlos. Por lo general, no nos acordamos de un nombre porque no nos damos tiempo, o no invertimos suficiente energía en pensar en dicho nombre, repetirlo, y grabárnoslo en la mente.

He aquí el mejor consejo para recordar nombres. Primero, asegúrese de que sea el nombre correcto; de ser necesario, haga que la persona se lo repita o incluso que se lo deletree. Segundo, repita el nombre las más veces posibles mientras habla con dicha persona. Tercero, asegúrese de llevarse una impresión muy vívida de aquella persona. Asocie su nombre a su rostro, a su aspecto general, o a cualquier otra cosa que sea una característica exclusiva de dicha persona.

Se requiere de mucha práctica para aprender a recordar nombres. Sin embargo, vale la pena el tiempo y el esfuerzo requeridos. Recuerde que una de las mejores formas de ganarse la buena voluntad de los demás, y de demostrar una actitud de interés, es recordando los nombres de las personas con que uno entra en contacto.

El poder de la sugestión

¿Cuál es uno de los mejores métodos de ventas que existe? Lo vemos todos los días en los comerciales de televisión y en los anuncios del periódico. Lo escuchamos en los comerciales de radio. La mayoría lo aplicamos en nuestra vida diaria sin darnos cuenta de ello. Puede dar lugar a resultados positivos pero, si lo aplicamos irreflexivamente, puede acarrear resultados negativos. ¿Cuál es esa herramienta que todos debemos de aprender a usar para lograr resultados positivos? Es el poder de la sugestión. El poder de la sugestión puede usarse para atraer a los demás hacia nuestra manera de pensar y para obtener apoyo a nuestras ideas. Mal empleado, puede acarrear desgracias a algunas personas.

Cuando vivía en Greer, Carolina del Sur, había una farmacia donde muchos hombres de negocios se reunían todas las mañanas a eso de las 10, para tomarse un café durante un receso de actividades. Un día, uno de los primeros en llegar, decidió "cultivar" a Joe, el encargado de la fuente de sodas. Cuando Joe le llevó el café a la mesa, el hombre le dijo: "Oye, Joe, te ves enfermo. ¿Qué tienes?". Conforme fueron llegando otros parroquianos, se sumaron a la broma, ayudando al que había llegado primero a llevar a cabo aquella chanza. Repetidamente, le dijeron a Joe que se veía mal. Antes del mediodía Joe tuvo que irse a su casa. Se puso enfermo. Aquellos sujetos, a través de sus palabras, le hicieron enfermarse. Es un ejemplo del poder de la sugestión operando de manera negativa.

Ese mismo poder podría haberse empleado de manera positiva diciéndole a Joe que se veía de maravilla. También los resultados hubieran sido positivos. Eso es lo que, en efecto, hacen los comerciales que vemos, oímos y leemos. Todos ellos son muestras de cuán poderosa es realmente la sugestión.

La automotivación es uno de los poderes más valiosos de la sugestión. Si usted se dice a sí mismo que es capaz de hacer algo, es muy probable que alcance su objetivo con poca dificultad.

También opera en sentido inverso. Si usted se dice a sí mismo que no puede hacer algo, es probable que lo encuentre imposible, o extraordinariamente difícil de hacer.

El poder de la sugestión funciona. Puede motivar a los demás para que lo ayuden a uno, o para que nos compren lo que deseamos vender. Puede recargarle las baterías interiores y permitirle el mejor desempeño de

que sea usted capaz. Todo lo que necesita usted
recordar es que debe tratarse de una sugestión positiva.

Haga un comercial de usted mismo

Si yo le pidiera que ideara un comercial de televisión que
exaltara sus mejores cualidades, ¿qué escribiría usted?
¿Dicho comercial reflejaría que la imagen que tiene de
su propia persona es saludable o pobre?

Probablemente se estará preguntando a qué viene
esta ocurrencia mía de pedirle que haga un comercial
sobre usted mismo. La idea me surgió de una aseveración que es casi universal entre los expertos en
motivación: ¡Las personas son lo que creen ser! Por
ejemplo, al levantarse temprano por la mañana, una
persona puede decir: "¡Qué bien me siento! ¡Hoy me
va a ir muy bien! ¡Sé que voy a poder manejar cualquier
cosa que se me presente!" Puede usted estar seguro
de que a esa persona le va a ir bien ese día, y que va a
poder manejar cualquier cosa que se le presente. Por el
contrario, pensemos en alguien que se despierta y
gruñe: "Qué día tan asqueroso. Ojalá pudiera quedarme
acostado. No quiero salir a enfrentar los obstáculos
insuperables que me esperan allá afuera". Usted sabe
cómo le va a ir en el día a esa persona, y cuán poco será
capaz de lograr.

157

La gente

No hay nada mejor que la autoalabanza constructiva que eleva a las personas por encima de la mediocridad. No me refiero a fanfarronear y a presumir conocimientos y logros que todos saben que no tienen más base que la egolatría. Me refiero a una imagen de uno mismo saludable y honesta, basada en una evaluación realista de nuestro conocimiento y capacidad. Eso es lo que hacen los mejores comerciales. Exaltan las características positivas de un producto y no mencionan las negativas. Simultáneamente, el comercial maneja persuasivamente la idea de que el producto en cuestión es bueno para uno.

El poder de la sugestión es lo que hizo de la Coca-Cola y de la Pepsi-Cola dos de las bebidas más populares en el mundo. Ninguna de estas dos compañías cesa de repetir cuán bueno es su producto, y de qué manera puede ser bueno para usted. Todos los días vemos y oímos esos mensajes. Si cualquiera de estas compañías dejara de hablarnos acerca de su producto, es probable que en poco tiempo se desplomaran sus ventas. No sería tan probable que usted deseara su producto.

Lo mismo ocurre con la imagen de uno mismo. Debe usted decir repetidamente, al menos para sus adentro: "¡Soy el mejor!" Todos los días, usted y yo vemos personas semimuertas que ya no creen en sí mismas. Dichas personas no sienten respeto por su más importante producto: ellas mismas. Dichas personas son indiferentes. Se sienten pequeñas. Se consideran "don nadies" y, debido a que se sienten de ese modo, eso es lo que son. Todos necesitamos que continuamente se reafirme nuestra valía, decirnos constantemente que no somos gente de segunda clase, que nos contamos entre los mejores. Si no creemos en nosotros mismos, nadie más lo hará tampoco.

¿Está ahora usted listo para hacer su comercial de "Véndase usted a usted mismo"? Empiece por enlistar todas sus características mejores. Por favor, ¡no sea modesto! No se apene por describirse usted mismo y sus cualidades. Usted las conoce mejor que nadie. Una vez que haya terminado la lista, haga un comercial sobre usted mismo. Dirija las palabras a su propia persona. Tenga a mano su comercial siempre. Léalo varias veces al día. Sobre todo léalo cuando se sienta alicaído.

Si tiene duda de que este método funcione, pregunte a cualquier persona de éxito si le parece que pueda funcionar. Lo más probable es que la respuesta sea: "¡Sí!", porque dicha persona sabe que para ser un éxito, uno debe creer en uno mismo. Crea en usted y véndase usted mismo sus mejores cualidades.

Ya se siente mejor, ¿verdad?

El poder de la sugestión es una de las armas más poderosas a disposición de todos. Cuando empleamos esta arma de manera positiva, pueden ocurrir grandes cosas. Cuando se le emplea de manera negativa, puede dar lugar a resultados devastadores.

La gente

Hace unos cuantos años, mi familia y mi hermana y su familia, salimos en grupo a pescar en alta mar. Ibamos en un barco en el que habían unas cien personas a bordo, paradas en toda la orilla de la cubierta, lanzando sus hilos de pescar por la borda.

El capitán llevó el barco a un lugar idóneo y los pescadores tomaron sus puestos.

Noté que mi hermana y el menor de sus hijos no estaban pescando. Estaban sentados en la parte de adentro de la cubierta y, cada que pasaban unos cuantos minutos, mi hermana le decía algo a su niño de 10 años. Desde donde yo estaba, no podía oír qué le decía. Me ganó la curiosidad, así que me senté junto al pequeño, inclinándome hacia ella lo suficiente como para poder oír.

Cada que pasaban unos minutos, mi hermana le preguntaba: "¿Ahora sí ya te sientes mal?"

¡Por supuesto que el niño se puso mal! Fue el único de todo el barco que cayó víctima del mareo provocado por el movimiento del barco. Cuando el Dr. Brunson llegó, se puso a hablar de algo que no tenía nada que ver con el malestar aquel. Se puso a decir cosas como: "Ahorita que llegué me fijé en el perro que tienen en el patio. ¿Qué raza es?" De esta manera, el Dr. Brunson hacía que la mente de uno se apartara por completo del hecho de estar enfermo.

Después de algunos minutos de conversar sobre asuntos agradables, el doctor solía decir algo así como: "Bueno, pues vamos a ver. ¿Cuál es el problema?" Para entonces, ya se le había olvidado a uno que estaba enfermo. Sin embárgo, se acordaba uno y le decía al doctor dónde le dolía, y le relataba uno todos sus dolores y achaques.

El doctor Brunson abría su maletita y sacaba un termómetro y un estetoscopio. Te ponía el termómetro en la boca y se valía del estetoscopio para escuchar dentro de uno. Mientras escuchaba, hacía "hum" y de pronto decía: "¡Aaajá!" Por la forma de decir "Ajá", uno de inmediato se daba cuenta de que había identificado el problema.

El siguiente pensamiento que le pasaba a uno por la cabeza era: "¿Voy a vivir o voy a morir?" El doctor te ponía la mano izquierda sobre el pecho y golpeteaba el dorso de la misma con un dedo de su mano derecha. Seguía haciendo "hum" y otra vez decía "¡Aaajá!", pero esta vez el "Ajá" sonaba más optimista.

Luego decía: "Creo que ya hemos descubierto el problema y va usted a quedar como nuevo". El doctor Brunson le pedía a alguien un vaso de agua, mientras sacaba unas pastillas de su maletita negra. Decía: "Ahora tómese una de éstas".

Mientras uno se tomaba la pastilla, el doctor volvía a meter su termómetro y su estetoscopio a la maletita, y otra vez se ponía a hablar sobre algo agradable. Su siguiente aseveración era: "Ya se siente mejor, ¿verdad?"

Y uno se sentía mejor, mucho mejor, después de una visita del doctor Brunson. El poder de la sugestión estaba operando. Hagámoslo que funcione de manera positiva.

Refrene la lengua y actúe

¿Cuántas veces ha escuchado usted decir: "Fue tu culpa, si no la hubieras regado, todo hubiera salido bien"? ¿Ha sido usted alguna vez culpable de haber hecho semejante aseveración?

Hay un hombre de negocios por el que siento un gran respeto. No sólo dirige un exitoso negocio de su propiedad, sino que participa en numerosas actividades comunitarias y de beneficencia. Además de ello, funge como director en las mesas directivas de varias compañías. Ha sido un placer para mí formar parte, junto con él, de diversos comités.

Cuando él estaba a cargo de dirigir un comité de voluntarios, las reuniones siempre parecían transcurrir sin tropiezos y con un mínimo de esfuerzo desperdiciado. Ese hombre sabe cómo liderear a la gente y lograr que se hagan las cosas con eficacia y eficiencia.

Un día le pregunté: "¿Cuál es el secreto de su éxito? Lo he estado observando atentamente en distintas situaciones, y siempre todo parece marchar como debe de ser. Yo también he trabajado con muchos grupos, y cuando algo sale mal, siempre hay alguien que empieza a echarle la culpa a los demás de las equivocaciones. ¿A veces se le presentan a usted esta clase de situaciones? ¿Cómo las maneja?"

"Sí, ese tipo de situaciones efectivamente se dan",

me dijo, "pero trato de evitarlas cuando es posible. Cuando hay personas echándoles la culpa a otras o haciendo acusaciones, lo primero que hago es decir: 'Momento, por favor. No vinimos aquí para hablar mal de nadie ni para andarnos pasando la bolita cuando sale algo mal. Vinimos a planear con miras al futuro y a lograr el objetivo que tenemos a la vista. Así que vamos a dedicar unos minutos a esbozar qué es lo que deseamos lograr.

Después de que hayamos identificado la meta claramente, establezcamos los pasos a seguir y lo que a cada uno le toca hacer y en qué momento.'

"A veces hay cosas que se tienen que acatar, pero mi objetivo, como líder del grupo, es lograr un consenso en los pasos a seguir. Es decir, trato de que todo mundo esté de acuerdo en un plan específico. Lo siguiente es asegurarnos de que todo mundo comprenda sus responsabilidades. Luego vienen las sesiones de reporte. Sostenemos juntas periódicas y conversaciones telefónicas para mantener a todo mundo informado de los avances.

"En mi experiencia, cuando todo mundo entiende la misión y el itinerario, y está de acuerdo en asumir ciertas responsabilidades, y se establece una comunicación efectiva, las cosas suelen marchar sin tropiezos y el trabajo se lleva a cabo."

¡Fue mucho lo que dijo en esos dos minutos y medio! Para resumir esta lección de liderazgo, cuando empiece usted a echarle la culpa a los demás, refrene la lengua e idee un plan de acción.

Botones a 3 millones la docena. Lo que cuenta es el detalle

¡Lo que cuenta es el detalle! Toda mi vida he escuchado esa aseveración. Es tan fácil para muchos de nosotros pasar por alto o ignorar los pequeños detalles, como por ejemplo darle los toques finales a un proyecto, o encargarse de algunos de los problemas o detalles minúsculos a fin de satisfacer a un cliente.

En relación con este tema, quisiera compartir con usted un incidente que a mí me demuestra que, si nos hacemos cargo de los pequeños problemas, hay muchas probabilidades de que los problemas serios jamás surjan.

¿Cuánto vale una docena de botones para camisa? Lo razonable es pensar que en cualquier almacén uno puede comprar una docena de botones por unos cinco mil pesos o menos. Yo sé de una docena de botones que costaron más de tres millones de pesos. Probablemente usted piense: "¡Eso es absurdo! ¿Cómo una docena de botones, botones de camisa comunes y corrientes, puede costar más de tres millones?" No dije que yo hubiera pagado semejante precio. Pero conozco una lavandería que sí lo pagó.

Durante muchos años, fui cliente de una compañía de lavandería y tintorería. Trabajaban bien y daban buen servicio a precio de mercado. Pero luego empezó a ocurrir que, de cada montón de camisas que llevaba a la lavandería, cuando menos una regresaba con botones

164

rotos. Naturalmente no me daba cuenta de ello sino hasta que me ponía una camisa.

En mi actividad viajo bastante por el país. No me gusta llevar equipaje en exceso, de modo que me llevo exclusivamente la cantidad de camisas que voy a usar. Una camisa con los botones rotos representa un serio problema para mí.

En varias ocasiones, llamé la atención del personal de la lavandería sobre el problema de los botones rotos. Cada vez que lo hacía, la dama a cargo me decía en son de broma: "Efectivamente, tenemos una máquina especial que rompe botones. Ja, ja".

Seguí recibiendo camisas con botones rotos y finalmente decidí cambiar de lavandería. Eso sucedió hace más de dos años. Yo gastaba de lavandería y tintorería unos 30 mil pesos a la semana. De manera que en dos años, es decir, en 104 semanas, calculé que esos doce botones rotos le costaron a la lavandería más de tres millones de pesos.

Son los detallitos los que ocasionan grandes problemas. Desarrolle la positiva actitud de poner manos a la obra para solucionar los detallitos, y quizá así se evite muchos problemas.

Anímelos o desanímelos

¿Recuerda la última vez que le preguntó a alguien cómo

estaba y que dicha persona le relató todas sus desgracias? Estoy seguro de que aquella sombría crónica hizo que usted deseara no haber preguntado. Muchas personas alimentan sus mentes de pensamientos tan negativos, que no se les ocurre nada alegre que decir. Todo lo que difunden es triste y desolador. Ese es un mal hábito, pero puede romperse con entusiasmo y optimismo.

Un día, hace no mucho tiempo, estaba trabajando en mi patio, cuando un conocido se acercó para conversar. Cometí un grave error. Utilicé el sobadísimo saludo: "¿Cómo está usted?" Se tardó no menos de 30 minutos en darme un informe completo, pleno de mortificadores detalles, sobre el hecho de que había perdido el anterior día de trabajo. Me hizo un reporte a conciencia de su visita al consultorio del doctor, me relató absolutamente todo lo que le dijo el doctor, y siguió sin parar con la misma historia. Pensé para mis adentros: "Si estás tan mal, ¿cómo puedes andar ahorita fuera de tu casa?" Aunque me preocupaba su bienestar y condición, realmente no me interesaba estar enterado tan al detalle.

¡Me sentí deprimido como consecuencia de aquella conversación! La actitud que me brotó fue la de que no me importaría no volver a ver a esa persona jamás. Tuve que entrar de nuevo a la casa para dirigirme unas palabras de aliento a mí mismo.

Con nuestra conversación podemos atraer a la gente o podemos desanimarla. ¿Qué prefiere usted? Una vez oí decir a un orador: "Al ochenta por ciento de las personas no le interesan los problemas de usted y al veinte por ciento restante le alegra que los tenga". Yo no sé de qué lado de los porcentajes estaba aquella persona, pero sí sé que muchos de nuestros problemas son creados por pensar pensamientos negativos en lugar de sentir entusiasmo por las cosas buenas. Dígase usted mismo: "Qué día tan feo". Lo más probable es que se tope con toda clase de percances. Antes de que se dé cuenta, ¡verdaderamente el día se volverá feo, espantoso!

Por el contrario, nutra su mente con pensamientos positivos, llenos de entusiasmo como, por ejemplo: "¡Qué magnífico día!" Es probable que le toque un clima refrescante, que se tope con gente amigable y que algo parecido a la primavera le acompañe en cada uno de sus pasos. Todo esto es la retroalimentación derivada de su entusiasmo.

Somos criaturas de hábitos. Lleva tiempo cambiar un mal hábito, pero vale la pena el esfuerzo. Si tiene usted el hábito de pensar de manera negativa y de difundir malas noticias, piense en los beneficios que obtendrá por ser una persona optimista, llena de entusiasmo que sólo difunde buenas noticias. Para empezar, se sentirá mejor con usted mismo, y a los demás les gustará estar en su compañía.

He aquí unos cuantos ejercicios que encontrará usted de gran ayuda para desarrollar una actitud optimista y entusiasta:

- Piense, actúe y luzca feliz y empezará a sentirse y convertirse en una persona feliz y exitosa.

- Jamás se involucre en conversaciones que ofuscan ni participe en sesiones de chismes.

- Siempre salude a los demás con alguna afirmación positiva y alegre.

- Responda a la pregunta "¿Cómo estás?" diciendo con entusiasmo y energía: "¡De maravilla!" o "¡Muy bien!"

- Espere que le ocurran cosas buenas, y probablemente le ocurrirán.

- Hágase el hábito de difundir buenas noticias.

Cualquier cosa que usted
IMAGINE claramente,
DESEE apasionadamente,
CREA honestamente y que
CON PODEROSA EMOCION trabaje en ella
... debe convertirse en REALIDAD.

La responsabilidad de ser ejemplo

La responsabilidad más grave que una persona puede tener es una que casi todos llevamos todos los días de nuestra vida. Mientras más exitosa se hace la persona, más grave se torna dicha responsabilidad.

Dicha responsabilidad consiste en dar un buen ejemplo a los niños y a las demás personas que se fijan en nosotros, que nos ven como personas a imitar y que se basan en nosotros para construir sus vidas y sus actos. Frecuentemente pensamos que los ejemplos a seguir son las estrellas de cine, los grandes atletas, los presidentes y gobernadores, y otros que se han ganado un nombre en sus áreas respectivas. A los profesores y religiosos también suele considerárseles ejemplos a seguir. La mayor parte de nosotros nos consideramos gente común y corriente, y jamás soñamos que alguien pueda estarnos observando para imitar nuestros actos.

Esta responsabilidad es sumamente grave, ya que el modelo a seguir debe ser como la esposa del César, no sólo libre de fechorías, sino que en su rostro se refleje la inocencia. Me aterra pensar que mi hijo, o cualquier otro niño, pudiera llegar a ser alcohólico por haberme visto beber a mí. Sería mucho más probable que se diera ese resultado si me vieran beber tanto como para emborracharme.

Muchos atletas de primera línea reconocen la importancia de las personas que vemos como ejemplos a seguir. Alex English, un destacado basquetbolista profesional de Carolina del Sur, es uno de ellos. El y otros atletas profesionales de primera línea que piensan como él, están encabezando una campaña para alejar a la juventud de las drogas. Los atletas de este calibre viven vidas profesionales y personales sanas, y se les nota. Gracias a personas como ellos, muchos jóvenes vivirán vidas limpias, productivas y útiles, en lugar de convertirse en presa de los males derivados del abuso de las drogas.

La gente

Todos debemos recordar que, en tal o cual ocasión, somos ejemplos a seguir y por tanto debemos desarrollar la positiva actitud de dar buen ejemplo.

Conserve la calma

"¡Piense antes de actuar!"

"¡Mantenga la calma!"

"¡Cuente hasta diez!"

"¡Póngase en los zapatos del otro!"

¿Cuántas veces ha escuchado las anteriores expresiones? Bueno, pues quizá estos viejos adagios estén un tanto trillados, pero de niño yo los empecé a valorar a raíz de una vergonzosa experiencia.

De pequeño, me fascinaba jugar beisbol y, modestia aparte, era muy bueno para este deporte. Jugábamos en los pastizales ¡y ya se podrá imaginar qué usábamos como bases! Estoy seguro de que no fue por votación popular pero, de algún modo, yo acabé siendo el llamado líder del equipo, hasta que viví uno de los momentos más bochornosos de que tenga memoria.

El que bateó antes de mí pegó una bola de hit. Pasé a batear y también pegué de hit, una bola rasa al jardín derecho. El corredor que estaba en primera, naturalmente echó a correr a segunda base. En lugar de pararse en segunda, se siguió de frente. Se supone que uno no debe seguirse cuando alguien pega un hit como aquél. Cuando trataba de regresar a segunda, le hicieron out.

En mi calidad de líder del equipo, se me presentó la oportunidad de desplegar mi decepción por aquel estúpido error: haberse pasado de la base y que le hubieran hecho out. Para demostrar mis aptitudes de liderazgo me puse a hacer una feroz y estentórea rabieta, pateando el pasto y gritando: "¡Cómo eres estúpido! ¿Qué no sabes que te tienes que parar y quedarte en la base?" Naturalmente, yo era el centro de la atención. Sobre todo el equipo contrario se estaba fijando mucho en mí.

Mientras yo pateaba el piso y le gritaba a mi compañero al que le habían hecho out, el segunda base del equipo contrario mandó la bola a primera. Yo estaba fuera de la base. El primera base me hizo out. ¿Qué le parece a usted? Por enfurecerme contra mi compañero de equipo por un error estúpido, cometí un error mucho más estúpido.

Creo que la lección más importante que aprendí ese día fue la importancia de guardar la compostura. Si hubiera "contado hasta diez", o si me hubiera puesto "en los zapatos de mi compañero de equipo", o si tan sólo hubiera "mantenido la calma", no hubiera cometido tan torpe equivocación, ni habría pasado tan bochornosa experiencia.

Con toda seguridad algunos de nuestros colaboradores van a cometer errores. Pero si no somos prudentes, si no conservamos el autocontrol, nuestros errores pueden ser aún mayores que los que criticamos.

La gente

Debemos desarrollar la actitud positiva de pensar antes de actuar, para poder ser buenos ejemplos en lugar de malos ejemplos.

Te están observando

La responsabilidad de los padres es enorme. No sólo alimentan, visten, dan cariño, se preocupan y disciplinan a sus hijos, sino que cada padre y madre debe hacer las veces de guardián, mejor amigo, profesor y enfermera. Pero lo más importante es que constituyen ejemplos a seguir. Los niños aprenden de observarnos. Muchos de nuestros actos cotidianos tendrán un efecto directo en cuanto a la clase de personas que serán de adultos.

Meg tenía aproximadamente cuatro años. Se la pasó toda la mañana en nuestra casa, jugando con mi hijo Scott, también de cuatro años. Hacia el mediodía, mi esposa se puso a preparar el almuerzo. Meg le preguntó: "¿Qué estás haciendo?"

Frankie le contestó: "Voy a hacer el almuerzo".

Meg le dijo: "Yo sé cocinar. Yo sé hacer pan tostado".

"¿Y cómo lo haces, Meg?", le preguntó Frankie.

Meg le explicó el procedimiento: "Primero pongo pan en el sartén y lo pongo en la estufa. Lo dejo en la estufa hasta que se pone bien negro. Luego me lo llevo al fregadero y lo tallo para quitarle lo negro".

172

Te están observando

¿Dónde y cómo aprendió Meg a hacer pan tostado? En su casa, por supuesto, observando a su mamá o a su papá.

Cuando Scott tenía unos cuatro o cinco años, me acompañaba todas las mañanas mientras me rasuraba. También él quería rasurarse. Finalmente, accedí. "¿Por qué no dejar que se rasurara? Así que todas las mañanas ponía en el baño una silla cerca de mí, para que Scott se subiera en ella para verse en el espejo. Inclusive lo dejé que usara un rastrillo, después de haberle quitado la navaja, naturalmente. El rastrillo no era suficiente. Todas las mañanas tenía que llenarle la cara de crema de afeitar. Rastrillo en mano, y con la cara llena de crema, Scott observaba atentamente cada uno de mis movimientos, luego se quitaba un poco de crema con el rastrillo y lo enjuagaba en el lavabo.

Los pequeños están atentos a todo lo que hacemos. Siempre estamos dando ejemplo, aunque no nos demos cuenta de ello, o aunque no queramos ser ejemplos a seguir. ¿Cuál es entonces nuestra responsabilidad? Nuestra responsabilidad es enseñarle a Meg a hacer pan tostado sin tener que llevarlo después al fregadero para quitarle lo quemado. Nuestra responsabilidad es enseñarle a Scott la forma correcta de rasurarse. Es nuestra responsabilidad poner buen ejemplo en nuestros modales en la mesa, en las palabras que utilizamos al hablar, y en las actitudes hacia los demás.

Queremos que nuestros hijos sean honestos, respetuosos y corteses, pero ¿siempre practicamos lo que predicamos? Todos decimos esas mentiritas blancas como: "Billy, si es el Sr. White, dile que estoy con los vecinos". Lo que eso realmente significa es: "Billy, no tiene nada de malo que eches cuentos, si lo haces por mí". ¿Qué tan corteses y respetuosos podemos parecerles a nuestros hijos si gritamos cosas ofensivas contra la persona que va conduciendo demasiado lentamente adelante de nosotros?

Nos pasamos largas horas enseñando a nuestros hijos a ser buenas niñas y buenos niños, y frecuentemente nos contradecimos haciendo lo opuesto de lo que predicamos. Los niños están mucho más prestos a aprender observando y copiando nuestros actos, que atendiendo a lo que les decimos. No podemos esperar ser ejemplos a seguir perfectos, pero podemos enseñar a nuestros hijos a que asuman la responsabilidad de sus errores. Si decimos: "Billy, no estuvo bien haberle mentido al Sr. White. Ahorita mismo le voy a hablar", reforzamos la importancia de decir la verdad. Inténtelo. Creo que se sentirá gratamente sorprendido por los positivos resultados que obtendrá.

¿Estamos dando correctamente las indicaciones?

¿Qué tan bien damos indicaciones? La claridad y la exactitud son quizá dos de las cosas más importantes cuando le decimos a alguien cómo hacer algo, o cómo llegar a alguna parte.

Hace varios años, me dirigía en mi automóvil a un encuentro de oratoria, a unos 80 kilómetros de Atlanta. Estaba llevándose a cabo una gran obra de construcción en el periférico de la ciudad, de manera que, naturalmente, los vehículos avanzaban defensa contra defensa. Yo llevaba algo de prisa, de modo que decidí detenerme en una gasolinera para preguntarle a alguien de la región si había otra ruta o un atajo para llegar a mi destino.

¡Corrí con suerte! El dependiente de la gasolinera conocía otras carreteras por las que podía llegar a mi hotel. Como las indicaciones eran un tanto complicadas, y como no estaba seguro de los números de las carreteras, me dibujó un mapa detallado. Seguí sus indicaciones al detalle. Manejé y manejé largo rato. Después de una hora aproximadamente, empecé a buscar mi hotel. Supe que me encontraba 60 kilómetros más lejos de mi lugar de destino, que cuando me detuve a preguntar. Obviamente no estaba ahí por gusto. Estaba ahí porque una persona me dio mal las indicaciones.

Cuando éramos pequeños, o cuando éramos adultos jóvenes, pudimos haber recibido indicaciones equivocadas, que pudieron haber influido negativamente en nuestras vidas. De muchas maneras pudimos habernos desviado del buen camino. Una profesora intolerante pudo habernos dicho que jamás llegaríamos a ser personas que valiéramos algo. Un padre irreflexivo, por jamás alabar nuestros logros, pudo habernos privado de futuras conquistas. Un colega o un patrón, por ignorancia o mala voluntad, pudo habernos hecho creer que ya no podríamos seguir ascendiendo. Si volvemos la vista a nuestro pasado, probablemente podemos ubicar a bastantes personas a quienes culpar de los virajes equivocados a lo largo de nuestras vidas.

Aunque nos sintamos justificados de culpar a los demás por situaciones que vivimos en el pasado, ¡de nosotros depende lograr en el futuro nuestro desarrollo y progreso! El pasado es un tiempo muerto. Si otras personas no creyeron en nosotros ¿qué nos importa? ¡Es hora de empezar a creer en nosotros mismos!

¡Deténgase! ¡Meta los frenos! ¡Párese rechinando las llantas! ¿Se encuentra usted en el sitio que desea, o está a muchos kilómetros de su lugar de destino? ¿Para qué seguir alejándose si lo único que tiene que hacer es sacar otro mapa, ver la ruta que había cogido, ver dónde se encuentra ahora y encontrar la carretera adecuada que le llevará a donde se dirige? Claro que de cuando en cuando es posible que dé una vuelta equivocada. Incluso puede ser que de pronto vaya a dar a una calle cerrada. Pero no hay razón por la que deba quedarse ahí. Dé la vuelta y reanude la marcha.

Siempre debemos tener presentes las indicaciones que les damos a los demás. Es una grave responsabilidad. Conserve una actitud positiva por lo que se refiere a la claridad y a la exactitud.

No seamos como aquel dependiente de la gasolinera, que dibujó un mapa a conciencia, pero con las indicaciones equivocadas.

La honestidad es la mejor política

Hace varios meses, estaba haciendo cola en el Aeropuerto de Atlanta para registrarme en un vuelo. Me di cuenta de que en la cola de junto había una señora de edad madura que se veía bastante alterada. Se enfurruñaba, suspiraba, hacía movimientos rítmicos que denotaban impaciencia, y en general se veía muy nerviosa. Un adolescente se le acercó. Frenéticamente, ella le susurró algo al oído y de un empujón lo apartó de la cola.

Unos minutos después, mientras esperaba en la sala, vi a la mujer sentada junto al adolescente. Estaba sonriendo y riendo, presumiendo de la manera tan inteligente en que se había ahorrado 150 dólares. Había mentido con respecto a la edad de su hijo para que le dieran boleto de media tarifa.

Aquella mujer del aeropuerto de Atlanta tenía la misma integridad que Al Capone. Me molestó tremendamente pensar en el ejemplo que estaba dando a aquel chico. ¿Crecerá pensando que es correcto ser deshonesto y robar, por causa del ejemplo de su madre? Independientemente de cuán pequeño pudiera haber sido el daño, independientemente de lo astuta que ella haya sido para "hacérsela" a la aerolínea, el acto no deja de ser incorrecto. Aquella mujer nunca aprendió lo que es la integridad. Lo más trágico del asunto es que su hijo jamás aprenderá lo que es la integridad si le hace caso a ella.

Quizá usted piense: "Bueno ¿y a usted qué le importa? ¿por qué no he de comprar un boleto de media tarifa si nadie se va a dar cuenta? Ciertamente, las aerolíneas no van a echar de menos medio boleto, sobre todo considerando las tarifas escandalosas que cobran". Analicemos el asunto viendo el otro lado de la moneda.

Un amigo me relató la historia de Jake, un joven recluta del ejército que conoció durante la Segunda Guerra Mundial. Una calurosa tarde en Texas, Jake se detuvo en la tienda de la base militar antes de volver a las barracas. Estaba sudoroso, acalorado y exhausto, después de un día en el campo de ejercicios, que había comenzado a las cinco de la mañana. Lo único en que pensaba era en darse un fresco duchazo, descansar y leer la revista de detectives que acababa de comprar. Al llegar a las barracas, vació su bolsillo y advirtió que el cajero le había dado 20 centavos de más. Bajo el intenso calor, recorrió de regreso aquel largo kilómetro y medio a la tienda para devolverle los 20 centavos al cajero. Algunos de los otros reclutas se rieron y le llamaron estúpido. "Se podría haber comprado otras dos revistas, o incluso una cajetilla de cigarros, y nadie se hubiera dado cuenta", comentó uno de ellos. Mi amigo, quien admiraba la necesidad que tenía Jake de ser honesto, me dijo: "preferiría ir a pelear al lado de Jake, que con alguien capaz de quedarse con dos centavos que no fueran suyos".

Mi amigo siguió en contacto con Jake, quien ya está

retirado. Me dice que Jake no es rico, pero que siempre ha vivido con holgura y que se la pasa razonablemente bien. Todos los que conocen a Jake lo respetan por su integridad. Muchos de nosotros nos enfurecemos cuando nos cobran 20 centavos de más, pero no decimos nada si nos dan 20 centavos de más. Jake evitó que maltrataran, o inclusive que corrieran a aquel cajero, porque faltara dinero en la caja. Seguramente, la siguiente vez que lo vio, lo atendió mejor que al comandante de la base. De manera que si usted en verdad desea sentirse bien con usted mismo, haga la prueba de hacer lo correcto, aunque nadie nunca se diera cuenta si hiciera lo incorrecto.

Contemple la honestidad desde otra perspectiva. Considere el ejemplo que podemos estar dando a nuestros pequeños. ¿En realidad los estamos alentando y enseñando a robar y a ser deshonestos? ¿O tenemos la positiva actitud de que la honestidad es la mejor política?

Por favor no diga: "Tú avienta el batazo, quién quita y le pegas"

¿Cuándo es que nos sentimos más confiados? Desde luego, cuando estamos haciendo algo que sabemos que podemos hacer bien. Todos tenemos determinadas destrezas que nos sentimos confiados al poner en práctica. Probablemente adquirimos confianza en dichas habilidades porque alguien se dio tiempo para enseñarnos los secretos para hacerlas bien, alguien que nos elogió en nuestros primeros y quizá nada acertados intentos, y que no criticó nuestros errores. Sinceramente, creo que la clave para adquirir confianza es no ser criticado sino, en lugar de ello, ser enseñado pacientemente a hacer algo. Desafortunadamente, yo tuve que aprender a la mala el secreto de la confianza.

Cuando mi hijo mayor, Scott, tenía aproximadamente 12 años, jugaba beisbol en las Ligas Menores. No era el mejor ni el peor jugador del equipo. Sin embargo, cuando le tocaba su turno al bat le faltaba confianza. Parecía querer siempre que el pitcher le mandara la bola justo al sitio correcto. Si la bola no venía justo a donde él quería, Scott no hacía el intento de batearla. La mayoría de los que conocemos de beisbol, sobre todo de beisbol infantil, sabemos que el pitcher no siempre va a mandar las bolas a la mitad del plato y a la altura del cinturón. Scott veía pasar las bolas, con el bat sin moverse de su hombro, y muchas veces lo poncharon. Eso a mí me resultaba sumamente frustrante. Igual que muchos padres, yo le gritaba a Scott: "¡Batéale! ¡A lo mejor le pegas a alguna!". No era raro que poncharan dos o tres veces a Scott en un solo juego.

Después de los partidos, empezaba a reñirle a Scott: "Hijo, ¿por qué no bateas? Nunca le vas a pegar a la bola si no haces el intento". En aquel entonces el menor de nuestros hijos, Karl, que entonces tenía unos cuatro años, ya era aficionado al beisbol. Cuando no andaba corriendo y jugando con otros niños, estaba conmigo en las tribunas.

Durante un juego, le tocó a Scott turno al bat en un momento crucial. Según recuerdo, su equipo iba perdiendo por dos carreras. Había casa llena. Iban dos outs. Me estremecí, sabiendo que Scott se iba a quedar inmóvil en el plato y que lo iban a ponchar. Apenas si tenía valor para mirar. El pitcher lanzó la bola. Scott bateó y le pegó. Hizo hit doble pasando la bola entre el jardinero derecho y el jardinero central. Las tres carreras que entraron pusieron en ventaja a nuestro equipo. Los partidarios de nosotros enloquecieron. Yo estaba sentado como en la tercera fila y Karl estaba en la primera. Cuando las porras decrecieron, Karl se incorporó. Con una voz lo suficientemente fuerte como para que todos lo escucharan, me dijo: "Papi, ¡ahora en la noche no lo vas a tener que regañar¿verdad?"

Me quedaría corto si dijera que me sentí abochornado. ¡Tenía ganas de meterme en un agujero y colocar una tapadera encima de mí!

Por primera vez me di cuenta de cuán torpe había sido. Un niñito de cuatro años fue quien me hizo entrar en razón.

Yo debería haber alentado a Scott, infundirle mayor confianza cuando iba a batear. Yo debería de haberle lanzado la pelota, enseñándole cómo se batea. Pero no, no había yo hecho nada constructivo. Todos mis actos habían sido negativos, y desde entonces no dejo de sentirme culpable.

La gente

¡No critique a nadie por las cosas que no le salen bien! ¡Ofrézcase a ayudar! Desarrolle la positiva actitud de ayudar a las personas a identificar las causas de sus actos, a encontrar las soluciones apropiadas y a desarrollar confianza. Este principio es particularmente cierto cuando se trata de pequeños.

El que con perros duerme, pulgoso se levanta

¿Qué tan importantes son las personas con las que nos asociamos? Hace poco, un amigo y yo hablábamos sobre el hecho de asociarnos con la demás gente. Me relató de una época en la preparatoria en que su madre había empezado a poner en tela de juicio la estofa de un grupo de muchachos con quienes había empezado él a andar. Su madre desaprobaba a sus nuevos amigos. Para enfatizar su punto de vista le dijo: "Hijo, el que con perros duerme, pulgoso se levanta".

Mi amigo prosiguió: "Mi madre me hizo sentarme con ella, a conversar con gran franqueza. Mis calificaciones habían bajado, me habían pescado copiando, y si no cambiaba de hábitos muy pronto, inevitablemente tendría que asistir a la escuela en el verano. Aquel cambio negativo se debía al hecho de haber empezado a andar con aquellos nuevos amigos. Habiéndome percatado de su preocupación y de la sinceridad de sus palabras, seguí su consejo. Dejé de ver a aquellas amistades, aunque no deseaba hacerlo. Para sorpresa mía, en aquel entonces, mis calificaciones mejoraron y pude pasar el verano pescando y nadando, en vez de estar sentado en un salón de clases.

"Al siguiente año escolar, las palabras de mi madre mostraron haber sido verdad. Uno de los tipos del grupo fue arrestado por manejar bajo la influencia del alcohol, otro fue expulsado por hacer trampa en un examen. Al tercero no lo aprehendieron, pero todo mundo sabía que estaba metido en la droga".

Le dije: "Sería interesante saber qué fue de esa gente".

Mi amigo me dijo que hacía unos cuantos años, "durante un viaje de regreso a casa, me di un poco de tiempo para averiguar a qué se dedicaban entonces. Resulta que el primero de ellos, manejando alcoholizado, había sufrido un accidente en el que un niñito había resultado muerto. El segundo, al que habían descubierto haciendo trampa en la escuela, se convirtió en un exitoso hombre de negocios. Sin embargo, no duró mucho su éxito. Le quitaron la licencia y no pudo seguir en el negocio. ¿Por qué? Adivinaste: por engañar a sus clientes. Perdió su fortuna y su credibilidad en el mundo de los negocios. El tercero está cumpliendo una condena de 12 años por tráfico de drogas".

Mi amigo prosiguió: "Imagínate. Si no hubiera escuchado el consejo de mi madre, es muy probable que hubiera terminado igual que esos tres. Me siento orgulloso de poder decir que aunque no soy rico desde el punto de vista financiero, soy extremadamente rico en otros aspectos. Tengo una esposa maravillosa, tres niños fabulosos ¡y muchos buenos amigos! ¡Oh, mi madre tenía razón! Si te acuestas con perros, te levantas pulgoso".

Reduzcamos la necesidad de que haya presidios

Una vez oí a un hombre decir: "No existen las metas poco realistas, lo que hay son momentos poco realistas". Cuando por primera vez escuché la idea de mandar un hombre a la luna, pensé: "¿Qué tan loca necesitará estar una persona para pensar en algo tan absurdo?" Bien, pues todos sabemos qué ocurrió. El hombre ha aterrizado en la luna.

Voy a proponer una meta que puede parecer bastante poco realista, pero, antes de emitir juicios, piense en ella: ¡Reduzcamos o eliminemos la necesidad de que haya prisiones! Al leer lo anterior, quizá la reacción de usted sea: "¡Este sujeto está completamente trastornado!" ¡Pero todavía no me clasifique entre los dementes!

Los psicólogos y los científicos del comportamiento descubrieron hace mucho que nuestro comportamiento y patrones de hábitos pueden ser influenciados en última instancia por alguien en posición de autoridad, comenzando por nuestros padres, o aquellos en quienes recayó la tutela de nosotros cuando éramos pequeños. Me agrada ver el comportamiento tan positivo de nuestros dos hijos, pero me espanto mucho cuando me doy cuenta de que han desarrollado algunos de mis malos hábitos.

En la revista Psychology Today, leí un artículo titulado: "Una autopsia Psicológica". La autopsia psicológica fue practicada al finado Howard Hughes. Con base en todo lo que se ha escrito sobre Hughes, todos sabemos que fue una persona diferente. Era diferente no sólo por su riqueza, sino por sus patrones de hábitos. Se le ha clasificado como excéntrico. Una de sus insólitas características era el miedo nada realista que sentía hacia los gérmenes y las enfermedades.

El artículo describe la manera en que su madre lo sobreprotegió de niño. Tomaba precauciones extremas para protegerlo de situaciones en las que existiera la posibilidad de que resultara expuesto a alguna horrible enfermedad.

Aquella sobreprotección evidentemente tuvo efectos duraderos en Howard Hughes. Se sabe que, en los últimos años de su vida, para que leyera el periódico le tenían que traer tres ejemplares, uno de ellos "ensandwi-chado" entre los otros dos, para que el de enmedio quedara protegido de los gérmenes.

La suposición derivada de aquella autopsia psicológica era que la actitud sobreprotectora de su madre quedó incrustada en la actitud de Hughes y le influenció durante toda su vida.

Muchos estudios realizados con reclusos han demostrado que un gran porcentaje de dichos reclusos recibieron, de pequeños, influencias negativas por parte de figuras de autoridad. Muchos de los reclusos también habían sido víctimas de abuso infantil; no necesariamente abuso físico, sino, en muchos casos, abuso mental y emocional. Faltó amor y comprensión en los primeros años de sus vidas.

¿Cómo podemos reducir o eliminar la necesidad de que haya prisiones? Creo que si todos los padres, profesores y demás figuras de autoridad sirviéramos como ejemplos positivos de buen comportamiento, y si inculcáramos buenos pensamientos en las mentes de los pequeños, empezando hoy mismo, en 40 años reduciríamos, o incluso eliminaríamos la necesidad de que existan las prisiones.

Como dijo aquel hombre: "No hay metas poco realistas. Lo que hay es momentos poco realistas". Lo que quiso decir fue que, si le damos tiempo, todo lo que la mente pueda concebir y creer puede ser alcanzado. Si empezamos a sembrar hoy las semillas del pensamiento positivo en las mentes de los jóvenes, sería posible que en 40 años redujéramos drásticamente, o incluso elimináramos la necesidad de que existan las prisiones.

Dado lo sobrepobladas que están las prisiones en los Estados Unidos, y dadas las cuantiosas sumas que se requieren para operar dichos lugares, ¿no sería razonable que tratáramos de reducir la necesidad de que existan? ¿Cómo se puede lograr? Se ha demostrado a través de varias compañías de mucho éxito que el concepto mercadotécnico de los niveles múltiples funciona. Entre los ejemplos que existen están Amway y Mary Kay Cosmetics.

Sirvámonos del plan de mercadotecnia de referencia para reducir la necesidad de que existan las prisiones.

Suponga que cuando menos mil personas sean influenciadas por este libro para empezar a esforzarse por ejercer una influencia positiva en la gente con la que tienen relación, y que esas mil personas logren influenciar a dos personas para que adopten estos principios, y que esas dos, a su vez, influencien a otras dos, y que el esfuerzo prosiga conforme al concepto de niveles múltiples.

De ser así, creo que el plan funcionaría. ¿No vale la pena hacer el intento?

Tómese unos minutos y considere las cifras y cálculos anteriores, suponiendo que a cada persona le tome un año influenciar a la persona o a las dos personas que le corresponden.

Después de 20 años, ¡más de mil millones de personas habrían sido influenciadas!

En mi calidad de vendedor, ¿no sería natural que yo sugiriera que cada una de las personas de la cadena poseyera un ejemplar de este libro?

Invierta en una excursión campestre - puede redituarle buenos dividendos

Cuando mis dos hijos estaban creciendo, lo que más me interesaba era ser un buen padre. Siempre que era posible, pasaba mucho tiempo con ellos, pero siempre me quedaba la sensación de querer hacer algo más.

Cuando el menor de mis hijos, Karl, tenía aproximadamente 12 años, le sugerí que nos fuéramos de campamento un fin de semana. Le emocionó mucho la idea de acampar, y de inmediato se puso a hacer planes.

Se emocionó mucho más cuando finalmente llegó la tarde del viernes y cargamos nuestra vieja camioneta con nuestro equipo para acampar, y partimos con rumbo al campo. Eramos copropietarios de un terreno que ostentaba un pequeño estanque, a unos 35 kilómetros de nuestra casa. En la orilla del estanque hicimos nuestro campamento: pusimos la tienda de campaña, hicimos una fogata, cocinamos hamburguesas y asamos malvaviscos. Nos sentamos junto al fuego a contar historias de fantasmas. Después que obscureció, nos acostamos en la tienda de campaña. Dormimos en la tienda que habíamos alzado sobre un declive, con piedras y raíces clavándosenos en la espalda. ¡Para mí fue una noche espantosa!

La mañana siguiente fuimos a pescar al estanque y sólo pescamos un pez. Luego padre e hijo nos pusimos a jugar a echar clavados. La tarde del domingo volvimos

188

a cargar la camioneta y emprendimos el viaje de regreso a casa. Mientras conducía por la carretera, añorando una cama cómoda, mi hijo de 12 años me dijo: "Papá, ya conocí Carowinds (un parque de moda), Six Flags Over Georgia y Walt Disney World, ¡pero este fin de semana fue el mejor de todos!"

¡Me sentí maravillosamente! Se me olvidaron los dolores provocados por las piedras y las raíces, y dejé de pensar en la cama cómoda.

Fue uno de los fines de semana menos caros que he pasado jamás. Hubiéramos gastado mucho más de habernos quedado en casa. ¡Me reditúo grandes dividendos! Fue una de las mejores inversiones de tiempo que he hecho en mi vida.

Lo que estoy sugiriendo es que se lleve a sus niños de campamento, o cuando menos, invierta con ellos muchas horas de su tiempo activo. Si no tiene niños, llévese los de algún amigo o pariente.

¡La gente necesita a la gente!

Use lo que tiene y sea un héroe

Todos tenemos héroes, gente por la que sentimos gran respeto, principalmente por las cosas que han hecho. Una de mis personas favoritas era la finada Kate Smith.

Kate era una cantante de fama internacional. No era

La gente

una reina de la belleza ni un símbolo sexual. Me parece que la fama de Kate se debió a la forma en que le cantaba a nuestro país. Cada vez que escucho a Kate se me pone el cuero de gallina. Kate cantaba desde el corazón, y daba vida a su canto. Un sentimiento de patriotismo llenaba su voz y se lo transmitía a su público. La tengo en tan alta estima porque utilizaba su talento para hacer sentir, a todos los que la oíamos, el orgullo de ser norteamericanos.

Otro de mis héroes es un hombre llamado John Fling. No conozco a John Fling personalmente, pero he oído sobre él y lo que hace. John Fling es un ciudadano común y corriente, con un trabajo común y corriente. Conduce una camioneta de refacciones automotrices. Lo que hace de John Fling un hombre extraordinario es lo que hace por ayudar a los demás. Es una institución de un solo hombre, constantemente a la búsqueda de gente necesitada de ayuda. Se ha echado la responsabilidad de dar transporte a los ciegos y de comprar comida y combustible para los necesitados. Se ha reportado que se gasta casi todo lo que gana ayudando a los demás a cubrir sus necesidades vitales. ¿Es John Fling un héroe? Tan sólo pregúntele a cualquiera de las personas a las que ha ayudado.

Creo que todos tenemos la responsabilidad de hacer uso de nuestro talento, a fin de hacer una aportación positiva a nuestros conciudadanos. Tenemos a disposición nuestra incontables oportunidades para hacerlo. Empiece por desarrollar la actitud de una persona alegre, entusiasta, afectuosa. Quién sabe. Es posible que algún día llegue a ser un héroe para alguien. ¿No le encantaría sentirse así?

El trabajo de equipo triunfa

Estoy seguro de poder ganarle en el golf a Jack Nicklaus en cualquier momento. "Momento, por favor", quizá pensará usted, "si es usted tan bueno para el golf, ¿por qué no participa en las competencias profesionales?"

Admito que soy tan sólo un golfista promedio que juega los fines de semana, de manera que ¿qué posibilidades tendría de ganarle a un profesional? En diversas ocasiones he participado en torneos de golf, que pueden organizarse de distintas formas. Una de dichas competencias se nombra "el tiro del líder" y consta de equipos de cuatro jugadores. Después de que los cuatro golfistas tiran, naturalmente alguna de las bolas quedará en mejor posición que las demás. En "el tiro del líder" se escoge la pelota que queda en mejor posición, y todos los jugadores hacen su tiro siguiente desde dicha posición. Se repite el mismo procedimiento en cada tiro y, dado que todos los jugadores tiran desde la misma posición en cada oportunidad, lo más probable es que cuando menos una bola caiga en una buena posición.

Hace unas semanas jugué en un torneo de "el tiro del

líder" con algunos correligionarios. Los cuatro miembros del equipo éramos considerados golfistas promedio. Dudo que cualquiera de nosotros, jugando por sí solo normalmente, lograra tirar menos de 85, que no es nada bueno. Pero jugando desde la posición del mejor tiro ¡en equipo tiramos 64! Sesenta y cuatro es un buen score en el golf, ¡pero el año pasado mi equipo tiró 63!

¿Cómo podría ganarle a Jack Nicklaus o a otro golfista profesional? Si mi equipo formado por cuatro golfistas promedio tirara cada tiro desde la mejor posición, jugando contra Jack o cualquier otro individuo, nosotros ganaríamos. La palabra clave es "equipo".

Raras veces ocurre que uno de los miembros coloca dos veces seguidas la pelota en la mejor posición. De hecho, creo que esto sólo ocurrió dos veces en los 18 hoyos que jugamos. El secreto es trabajar como equipo. Cada jugador, en un momento dado, hace una aportación positiva al esfuerzo colectivo.

Cada uno de los jugadores de nuestro equipo, en unas ocasiones o en otras, fue responsable de colocar la pelota en la mejor posición.

Cuando trabajamos como equipo, independientemente del tipo de trabajo que ejecutemos, ¡lo más probable es que resultemos ganadores! Todavía no conozco a ningún individuo, trabajando en estricta soledad, que ascienda muy alto en la escalera de los logros. ¡Una sus manos con todos los miembros de su equipo! ¡Trabajen juntos y que cada cual haga su parte! ¡La gente necesita a la gente!

El estudiante "C" es el dueño de la compañía

"Sólo trabajar y nunca jugar hace de Jack un niño aburrido". Igual de cierto es que: "Sólo jugar y nunca trabajar hace de Jack un niño 'aburrado'".

El presidente de una pequeña universidad, dirigió un mensaje a sus estudiantes para alentarlos a vivir una vida bien equilibrada, empezando por la universidad. Exhortó a los estudiantes a que se aplicaran al estudio y destacaran académicamente. También hizo gran énfasis en el hecho de participar activamente en actividades extra curriculares. Urgió a los estudiantes a aprender a comunicarse más efectivamente con los demás, a desarrollar habilidad para las relaciones humanas, aprender a entender a sus conciudadanos y a orientarse hacia la gente.

Hizo alusión, tal vez en broma, a un estudio efectuado a graduados de años anteriores, para determinar qué habían estado haciendo desde su graduación. Con base en sus calificaciones, los estudiantes se dividían en tres categorías: los estudiantes "A", los estudiantes "B" y los estudiantes "C". Los estudiantes "A" se habían hecho científicos, analistas investigadores, contadores y otros profesionistas dedicados a actividades muy especializadas, y los estudiantes "B" eran los gerentes y supervisores de los estudiantes "A". ¿Qué sucedió con los estudiantes "C"? ¡Eran los dueños de las compañías donde todos los demás trabajaban!

Naturalmente que el presidente de la universidad no estaba minusvaluando la importancia del estudio arduo y de las buenas calificaciones. Sin embargo, estaba haciendo especial énfasis en la importancia de ser personas muy completas. Estaba exhortando a los estudiantes a que incluyeran en su curriculum la ingeniería humana.

Aproximadamente el 15 por ciento de lo que uno gana se debe a habilidades técnicas, y aproximadamente el 85 por ciento a la habilidad para la ingeniería humana. Incluso en el caso de áreas tales como la ingeniería, los estudios llevados a cabo en el Carnegie Institute of Technology han demostrado que lo anterior es cierto.

En sus estudios, el Dr. William Menniger descubrió que entre el 60 y 80 por ciento de los fracasos que terminan en que las personas sean despedidas de sus trabajos en la industria, se deben a incompetencia social. Sólo del 20 al 40 por ciento de las separaciones ocurren debido a incompetencia técnica.

Andy fue contratado para ocupar un puesto de alta responsabilidad y muy visible. Sus antecedentes técnicos parecían cubrir todas las calificaciones requeridas para el trabajo. Había sido el número tres, o el número dos, en su puesto anterior y, de acuerdo con todos los reportes, había hecho muy buen trabajo. Andy parecía ser el hombre ideal para el máximo puesto, de manera que lo contrataron. No pasó mucho tiempo para que se descubriera por qué Andy había sido siempre el número dos o el número tres. Le faltaba habilidad en materia de ingeniería humana. Por ejemplo, podía ocurrir que un experto en cierta materia, hiciera una afirmación categórica y que Andy dijera: "Puede ser que sí".

La persona que había hecho la afirmación replicaba: "¿Cómo que puede ser que sí? Yo sé que así es". Esa era la ruina de Andy. Lo malo no era lo que decía sino cómo lo decía. En realidad, lo que Andy había querido decir a aquella persona es que desconocía la materia de la que le hablaba. En lugar de haber hecho una afirmación que ponía en duda lo dicho por su interlocutor, Andy pudo haber pedido mayor información. Pudo haber dicho, y debió hacerlo, algo así como: "Platíqueme más. Me interesa".

Aprenda de Andy una valiosa lección. Los conocimientos técnicos de academia son importantes, pero los verdaderos líderes son también hábiles con la gente.

Todos podemos ser ganadores

¡Soy un insaciable fanático de los deportes! Me encantan casi todos los deportes: basquetbol, futbol, beisbol, golf. El que usted me diga, me encanta. Sin embargo, frecuentemente me pregunto si las lecciones que nos dejan dichas actividades son las debidas. En los deportes hay perdedores y ganadores invariablemente, pero en la vida real ¿es necesario que haya ganadores y perdedores?

Los deportes cumplen un propósito sumamente importante. Una de las cosas más importantes que hacen los atletas de éxito ¡es trabajar unidos como equipo! Se olvidan de sus ambiciones individuales, y muchos de ellos olvidan la gloria personal. Cada jugador en un equipo de futbol tiene una misión específica. Tiene la responsabilidad de trabajar junto con sus compañeros de equipo. Cuando todos los integrantes del equipo llevan a cabo adecuadamente sus misiones, las posibilidades de ganar el partido aumentarán considerablemente. Si tan sólo uno de los jugadores juega mal, y no cumple su misión a toda su capacidad, la cosa cambia. Probablemente el equipo perderá.

¿Por qué no todos podemos ser ganadores? Yo creo firmemente que si todos acatamos la máxima: "Trata a tus semejantes como quisieras que te trataran a ti", todos podemos ser ganadores.

En su libro En Busca de la Excelencia, el autor alude a estudios practicados a algunas de las compañías más exitosas de los Estados Unidos. Se trataba de averiguar por qué razón eran líderes comerciales. Dichos estudios revelaron, llanamente, que todas estas compañías reconocían estar en el "¡negocio de la gente!"

¿Qué es el "negocio de la gente"? No es solamente vender bienes o servicios a la gente. Oh, no, el "negocio de la gente" es mucho más que eso. ¡Las relaciones humanas constituyen gran parte de esas compañías de éxito! Toda compañía exitosa confiere importancia de primer orden a las relaciones públicas, a las relaciones con clientes, a las relaciones con empleados. Todas ellas reconocen que todo mundo quiere tener buenos vecinos, que el cliente quiere sentirse deseado y que, sobre todo, las personas quieren ser tratadas como seres humanos. La actitud positiva con respecto de la gente, en cada individuo, es lo que ha dado lugar a la participación colectiva y al empuje que han convertido a dichas compañías en equipos muy exitosos.

Así como han hecho esas grandes compañías, usted y yo podemos valernos de las relaciones humanas para que operen en beneficio nuestro en el trabajo, en el hogar, con nuestros correligionarios. Por medio de las relaciones humanas, en todos los casos anteriores se puede formar un equipo humano exitoso. Elogie cuando el elogio sea merecido. Averigüe cómo quiere la gente ser tratada, y trate a todo mundo justamente como le gustaría que a usted lo trataran en la misma situación. Si debe criticar, hágalo de manera positiva, amigable y constructiva.

Estoy convencido de que, en la vida real, todos podemos ser ganadores. La clave es desarrollar y utilizar una actitud positiva en nuestras relaciones humanas.

En conclusión:

No complique las cosas

¿No cree usted, como yo, que hay muchas personas a

las que les gusta hacerse la vida difícil? A partir de mis observaciones, la vida (y el trato con la gente) no tiene por qué ser complicada. Sinceramente creo que, casi siempre, las cosas sencillas funcionan mejor.

En verdad creo que es necesario que cada uno de nosotros conozca un poco acerca de lo que los demás quieren y necesitan. Todo lo que hay que hacer es acatar la máxima: Trata a los demás como quisieras que te trataran a ti. Tratar a los demás como quisiéramos ser tratados es la ruta directa para llegar a ser Héroes, personas respetadas y queridas por los demás, puesto que ellos también reciben lo mismo de parte nuestra. Qué tanto tiempo, esfuerzo y entrega le tomará, depende sólo de usted.

Desde luego que somos criaturas de hábitos. A lo largo de los años hemos desarrollado malos hábitos que no es fácil cambiar. Sin embargo, una vez que empecemos a ser personas alegres, entusiastas y afectuosas, nos resultará fácil seguir siendo el tipo de persona que encuentra en los demás goce y éxito en la vida.

Espero que haya descubierto, o que le hayan venido a la memoria, algunas cosas sencillas que pueden hacer su vida un poco mejor.

Frecuentemente las limitaciones y fronteras imaginarias nos impiden intentar algo diferente.

¡Las actitudes marcan la diferencia!

Está edicion se imprimió en Septiembre 2009 Impresora Alfa
Lago Managua No. 50. México. D.F. 11280.